JN091569

千ベロの聖地「立石」物語

もつ焼きと下町ハイボール

谷口 榮
Taniguchi Sakae

新泉社

3 立石のもつ焼き屋さん細見 …… 65

付章　立石にあった「つたや京染店」

千ベロの聖地「立石」物語

もつ焼きと下町ハイボール

はじめに

東京下町、なかでも隅田川以東の地域を代表する飲食は何かと問われれば、私は迷わずもつ焼きやもつ煮込みなどの「もつ料理」と「ハイボール」（略して「ボール」ともいう）をあげる。

東京下町の名物はあまたある。江戸の昔から隅田川以東ではウナギ、コイ、スズキ、草団子、煎餅などの名物が人々の舌を楽しませてきた。だが現代では、もつ焼き屋さんで出されるもつ料理とハイボールが名物であり、この組み合わせが、この地域ならではの飲食文化ととらえることができる。もつ料理とハイボール、この組み合わせが重要であり、その関係を成立させたニーズに、私は注目したい。

ここで注意していただきたいのは、この地域ならではというキーワードを担保するのが、いわゆる「もつ」と「ハイボール」の種類である。この本でとり上げる「もつ」は牛ではなくて豚であるということである。「豚もつ」であることをお断りしておく。くり返しになるが、「牛や豚のもつ」ではなく、「豚もつ」であることを見すごしてはならない。

それから「ハイボール」。定番のウイスキーをベースとした「ウイスキーハイボール」ではなく、焼酎をベースとした「焼酎ハイボール」であることがまさに地域性なのである。

そして、ならではの「場」と「時間」を提供してくれる代表格が京成押上線沿線地域であり、そのなかでひときわ存在感を示しているのが「千べロの聖地」と呼ばれている「立石」である。

私は、多くの方々をもつ料理とハイボールを堪能するひと時にお誘いしたいのである。そして、この飲食文化がどのようにつくられたのかを説明するために、立石という地域の歴史についてひとくだり申し添えさせていただきたいのである。

本文で紹介するもつ焼き屋さんのなかにはすでに店を閉じてしまい、記憶のなかにしか残っていない店も何軒かある。いまその店があったら、もっともつ焼きを楽しむことができただろうに、もっともつ焼きのことを聞くことができただろうにと、果たせぬ夢にため息をついてしまう。

名前すら忘れてしまった店もある。なんだか宝物を失くしたような気持ちで、定年間際の歳のせいか妙にせつなくなってしまう。しかし、私の舌にはそれらの店のもつ焼きのタレの味だけはしっかり記録されている。

1

思い出の中のもつ焼き屋さん

大学生時代、友人と私の地元、立石・青戸界隈で飲むと、決まってもつ焼き屋さんに入った

大学生時代、友人と私の地元、立石・青戸界隈で飲むと、決まってもつ焼き屋さんに入った。いまみたいな居酒屋のチェーン店もあまりなく、もつ焼き屋さんは大学生の財布具合にぴったりのリーズナブルな存在だった。

いま「千ベロ」という言葉が世間でもてはやされている。一説には中島らもさんが広めたといわれているが、葛飾界隈では私が大学生だった昭和五〇年代にはすでに普通に使われていた。「立石のどこそこの店だと千円でベロベロになるまで飲めて、そのうえお釣りがくる」という都市伝説めいた話が巷に流布していた。しかし、「千ベロ」が都市伝説ではなく、実際の話だということはすぐに実体験することができた。

友人ともつ焼き屋さんに入って、もつ焼きというものに馴染みがない人がいるということをはじめて知った。もつ焼き屋さんという存在やそこで飲食する風景が、人によっ

て当たり前の風景（日常）である場合と、特別な風景（非日常）である場合があるということを知ったのだ。私にとって日常的なことが友人にとって非日常的な存在だった。

この大学時代のもつ焼き屋さんでの一件は、私にとってその後のまち歩きやまち観察、さらには歴史研究に決定的な影響を与えることになる。それは、昭和という時代が終わりを告げ、平成になってさらに強く意識するようになった。

立ち位置を変えて見ることによって、ちがったものが見えてくる。私にとってこのようなことをもつ焼き屋さんで会得できたことが何よりもありがたいのであり、もつ焼き屋さんにこだわるベースにもなっているのだと思う。

可能なかぎり葛飾や東京下町の日常の風景を観察し、記録したい。それができないと失われてからはじめて気づくことばかりになってしまう。いまの日常があることにもっと注意を払うべきなのであろう。

思い起こせば、私は、幼い頃からもつ焼きに親しんできた

思い起こせば、私は昭和三〇年代の半ばに葛飾の立石に生まれ育ち、幼い頃からもつ焼きに親しんできた。

父は南千住のタクシー会社に勤め、四〇代から個人タクシーを生業とし、母は祖父から続く「つたや京染店」という染め物の仕事を継いでいた。仕事に忙しい母から晩ご飯のおかずに近くのもつ焼きを買いに行くように言われ、よく買いに行ったものだ。父の晩酌のおかずにする都合があったのかもしれないが、一、二週間に一度は家の近くのもつ焼き屋さんで買い求めたもつ焼きが晩ご飯のおかずとして食卓にのぼったものだった。

小学生の頃、算盤塾の帰りにそのもつ焼き屋さんに立ち寄って、シロのタレ焼きを一本焼いてもらうのが楽しみだった。一本十円か十五円だったと思う。ポケットに五十円玉があると、奮発してシロのタレ二本か、二十五円程のカシラのタレを焼いてもらったこともある。

高校を卒業するまでの動物性タンパク質の多くは、もつ焼きに依存していたといっても過言ではない。強いて言えば、それに鯨肉と赤いウインナー、魚肉ソーセージが加わるぐらいであった。家が貧しかったからかもしれないが、豚肉を、まして牛肉を食卓で日常的に食べる習慣はなかったように思う。豚肉の生姜焼きなどは食べたことがなく、カレーライスに豚のコマ肉が少し入っていたり、赤いウインナーソーセージが弁当に入っていたりすると、それだけでうれしかった。カレーの具には鶏肉が多かったように記憶している。

当時の肉類の消費状況を農林水産省が作成した「食糧需給表」で見ると、高度経済成長期に肉食が急激に普及した様子がわかる。一人当たりの年間の肉類消費量は、一九五五年（昭和三〇）には三・二キログラムだったのが、十年後の一九六五年（昭和四〇）では九・二キログラムと二・八倍強になり、さらに二十年後の一九七五年（昭和五〇）には一七・九キログラムと約五・六倍になっている。

小・中学校での給食も肉食の普及を後押ししたものと思われるが、昭和三〇年代から昭和五〇年代になって、私が大学生になった頃には家庭で肉料理が出されるのはすでに日常的な風景になっていた。

私がもつ焼き屋さんの暖簾をくぐることを覚えたのは小学校高学年の頃だった

「宇ち多」さんの店内。この雰囲気
がたまらない（2006年撮影）

私がもつ焼き屋さんの暖簾をくぐることを覚えたのは小学校高学年の頃だった。先に紹介した算盤塾帰りにみずからの意志で暖簾を手でまさぐった。ただしハイボールを知るのはだいぶ後のことになる。行きつけのもつ焼き屋さんは、店というような造りではなく、民家の軒下に屋台を組み込んだようなものだった。

親父さんは白髪まじりの短めの髪で、年の頃は六十過ぎ、どことなくその風貌が田舎の祖父に似ていた。焼き台のある屋台と、串に刺したもつをしまってある冷蔵庫のある母屋との間の渡り廊下には簡単なトタンの屋根がかかり、下には簀の子を敷いてあった。そこ通じて屋台と台所口とを行き来していた。

客が子どもで、それも一、二本しか買わないのに嫌な顔をせず、奥の台所の冷蔵庫から串をとりだし、炭を調節しながら焼いてくれた。タレが子どもの舌をも虜にするほど何ともいえない旨味があった。店でもタレを味自慢としていた。

代金を払って「おいしかった」「ご馳走様」と挨拶すると、「ありがとう」と微笑んでくれた。私のもつ焼きの原点となる店である。ただし、残念なことに店の名前を覚えていない。仲間とその店に行く時には「屋台の店」で通じた。

その店のお酒は日本酒と焼酎、そしてビールがあった。ハイボールはなかったが、か

「屋台の店」は左手の駐車場のところにあった。右手の建物はカレーのルーをつくる工場で、スパイシーな今風のカレーの香りを漂わせている（2020年撮影）

なり後になってハイボールもメニューに加わった。裸電球一つ、それと炭の焼けた赤い火が照明がわりで、もつ焼きを焼く煙がたちこめていた。親父さんは無口なほうで、聞かれたことに答える程度だった。たまに通る車の音以外、タレや肉汁が炭の上に落ちた時の音や炭のはじける音が店の雰囲気にアクセントをつけていた。

タレの味はいまでも忘れないし、煙に燻されたタレの香ばしい焼けた匂いも忘れられない。それと、この店の対面にはカレーのルーをつくる工場があって、日中はあたり一帯にカレーの香りが広がっていた。

昭和の終わり頃だったろうか、親父さんは体を壊したらしく、しばらく休業し、再開後

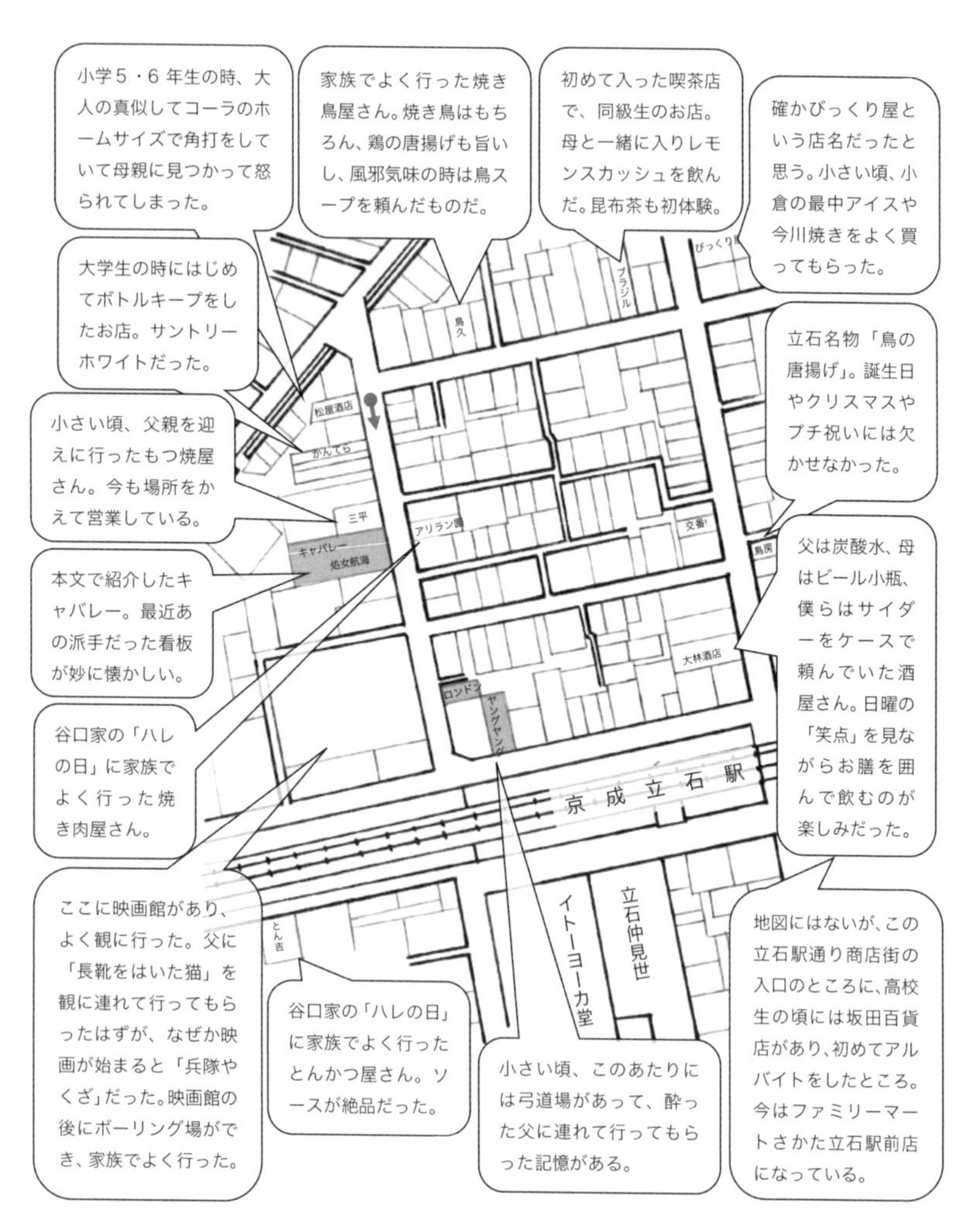

立石駅周辺の思い出地図（1970年代後半）
筆者の家族との思い出の一端を書き込んでみた。まだまだ思い出の店や場所はあるが、記憶の引き出しを訪ねていくとはじめは懐かしさが募るが、その後には経過した時間を思い、つくづく歳をとってしまったと溜息が出てしまう。なお図中のアミは、大人になって入れなかったキャバレーの場所。また、図中の矢印の地点から撮影したのが24-25頁の写真

は店に立つこともあったが、息子さんが二代目として店を仕切るようになった。

二代目になってからも、味は変わらなかったが、とにかく話好きで、静かに飲みたいという気持ちを察してくれず閉口してしまうことがしばしばあった。

平成のはじめ頃、店を閉じてしまった。店のあったところは、いまは屋台とともに家もとり払われ更地になっているが、カレーの香はいまも漂っており、目をつぶると往時の屋台の姿が蘇ってくる。

母から飲み屋に行って帰ってこない父を呼んでくるようによく言いつけられた

私と同世代の方の中には、身に覚えのある方も多いかもしれない。母から飲み屋に行って帰ってこない父を呼んでくるようによく言いつけられた。なかなか帰ってこない父を「呼んでらっしゃい」と母から厳命を受けると、内心ニコニコしながらもつ焼き屋さんに迎えに行った。

父の行きつけのもつ焼き屋さんは二軒あり（というより私の知っている店としたほうが正確か

もしれない。父親はもっといろんな店に出入りしていたことは想像に難くない)、その内一軒は「三平」といって、子どもには刺激の強すぎる通りにあった。

どのような刺激かというと、キャバレーが何軒も建ち並ぶところで、とくに「処女航海」という店は看板が派手派手しく、店の名前からして小学生には意味はわからなくとも、子どもの世界ではなく大人の世界の言語であるということは直感できた。昼間はまだいいが、夜一人で通るのは恥ずかしく少々度胸が必要であった。

家のほうから行くと、その大人の店の手前に「三平」さんはあった。店の入口でもつを焼いている人がいて、店の中はコの字形のカウンターがあり、料理を運ぶ人がカウンターの中に二人くらいいた。

外から店をのぞき込んで、カウンターで飲んでいる父を見つけると、店に入っていく。そばに近づいて手や肩をゆすると、決まってもつ焼きを何本かご馳走してくれた。

父にとっても一人で帰るより、子どもと一緒に帰ったほうが家に入りやすいということもあったのだろう。まるでビートたけしのエピソードそのままの風景が日常に存在していた。

高校生の頃に「三平」さんは同じ立石の別の場所へ移転してしまった。昔の店の雰囲気と、もつ焼きの味はおぼろげながら覚えている。父を呼びに行ったのはきっと小学生でも低学年の頃の出来事だったのであろう。ただし、「処女航海」というキャバレーは大学生の頃までは確実に存在していた。社会人になって給料をもらえるようになったら入ってみようとひそかに思っていたが、その思いがかなわぬうちに、派手派手しい看板とともに店はなくなってしまい、いまはマンションになっている。

「三平」さんとともに両親との思い出の残る店として、青戸の公団近くにあるもつ焼き屋さんに父と母に連れて行ってもらったことがある。ハイボールを飲んだから、大学生になった頃だろう。

なぜ、その店に行ったのかというと、元は立石にそのお店があり、父と母が一九六〇年（昭和三五）に所帯をもってから二人して何度も食べに行った店だという。山梨県富士吉田育ちの母にとっては、もつ料理は東京に来て食したご馳走だったようだ。その店が青戸に移ったので、それに息子も酒が飲める年頃になったので行ってみようということになったらしい。

二軒長屋の片方を店としており、カウンターに三人程度、四人がけのテーブルが二つ、ただし四人座るほどの余裕はなかったような気がする。とにかく六畳ほどの広さしかな

とんちゃん
もつ焼
03-3696-5338
とんちゃん
もつ焼
マッサージ
入居者募集

立石駅すずらん通り。正面奥が立石駅で、右手中央のマンションのところにキャバレー「処女航海」があった（2019年撮影）

い小さな店だった。奥の座敷にテレビがあり、いつも野球中継が映っていた。

店は七十代のご主人とまだ六十代と思われる奥さんの二人でやっていた。シロのタレ焼きが美味だった。柔らかく、タレの甘さも程よい、絶品だった。もつ煮込みも白味噌ベースでおいしかった。ハイボールはレモン風味だったと思う。あまり飲み物の記憶はないが、シロタレと煮込みを親子三人で堪能した。

母が二〇〇一年（平成一三）に他界し、父も二〇一一年（平成二三）に亡くなった。いまとなっては両親と酒を酌み交わした懐かしい思い出のひとつとなっている。

この店の名前は、十年前頃までは覚えていたが、いまは思い出せない。残念だ。両親と行ってから一人で、また友人と出向くことがあった。

この店のお通しは、醤油を注す小皿様のものに入れた「かっぱえびせん」だった。ご主人は高齢で手が少し震えることがあった。奥さんが料理や飲み物をつくり、それをご主人が出すのであるが、手が震えるので、こちらも気を使って早めに受けとるように手を出す。奥さんがご主人を気遣い、またご主人の一生懸命さが、もつ料理の美味さとともに心地よい気持ちにさせてくれた。この店もご主人が「体力の限界」とのことで、平成の中頃に店を閉めてしまった。

発掘の後はいつも
もつ焼きとハイボール

立石や青戸界隈のもつ焼き屋さんに頻繁に入るようになったのは大学生になってからだ。大学に入って、たしか一九八一年（昭和五六）だったと思うが、葛飾区青戸で戦国時代の城、葛西城の発掘調査がおこなわれることになった。

葛西城の発掘調査は私が中学生の頃にもおこなわれたことがあって、担任の先生と自転車で見学に行ったことがあった。それがいまの学芸員という職業に就くきっかけのひとつとなっている。

大学に入って、思い出の葛西城の発掘調査を手伝うことになり、発掘が終わると同僚や先輩に誘われて、青戸の駅近くの焼き鳥屋さんやもつ焼き屋さんに行った。焼き鳥屋さんは「鳥新」という店で、ハツ塩がおいしく、腹がすいていると鰻玉丼をよく食べた。千円で鰻玉丼と焼き鳥一皿、そしてハイボール一杯が注文できた。いまでもその店は場所を移して営業しているが、繁昌していていて入れないことが多い。

葛西城の第6次調査（1981年）で本丸から発見された石組みの井戸を調査し、小休止しているところ。発掘が終わった後のボールともつ焼きを楽しみに発掘調査（肉体労働）で汗を流していた（中央が筆者）。調査しているときは、葛西城ではめずらしい石組みの井戸としか思っていなかったが、21世紀になってから、東国の戦国史研究上、重要な遺構だと判明する（くわしく知りたい人はシリーズ「遺跡を学ぶ」057『東京下町に眠る戦国の城　葛西城』を参照してほしい）

もつ焼き屋さんは「ぽんた」という店だった。焼き物もうまいが、そこは煮込みがおいしかった。「葛飾で二番のおいしさ」という張り紙が貼ってあった。「二番」というところがなんとも店主の謙虚さと自信が秘められているようで面白かった。

葛西城の発掘調査の報酬は当時いくらであったのであろう。一日三千円から五千円ぐらいだったろうか。時間単位でもいただくことができた。もちろんお金が目的ではなく、発掘の技術や考古学の勉強をしたいという思いで通った。

ありがたかったのは、事務所には多くの発掘調査報告書や考古学専門書があり、コピー機が備わっていたので、それらの資料をコピーすることができた。いまはコンビニにもコピー機があるが、その当時は限られたところにしかなく、コピーをとること自体たいへんで、それに料金も高い時代だった。

コピー代は給料日払いだったので助かった。結局のところ、働いたお金のほとんどはコピー代に化ける運命だった。飲むのも一苦労、おのずと千円で酔えて栄養がつくもつ焼き屋さんへ足が向くことになる。

体力勝負の発掘調査も、このもつ焼き屋さんがあったから、酔うほどに仲間と語り合い、疲れを忘れ、明日への活力をみなぎらせることができたのだ。滋養食としてのもつ料理で体力を養い、ハイボールの酔い心地で疲れを癒す、これが葛西城を掘り、郷土の歴史、東京下町の歴史に挑む原動力となった。

「ぽんた」で一人飲む時は、壁に掛かっている品書きを見ては金勘定をしながら注文していた。そのような姿が賄いをしながら見えていたのであろう、他のお客さんに気づかれないようにこっそりまけてくれた。お世話になったおじちゃん、おばちゃんの店もいまはなくなってしまい、マンションになっている。

下町ハイボールともつ料理

2

働く人々にとって
ウイスキーは高嶺の花だった

バブル以前、隅田川以東の町工場などで働く人々にとってウイスキーは高嶺の花だった。そこで幅を利かせたのが労働者の酒とも大衆の酒ともいわれる「焼酎」である。それも甲類焼酎と呼ばれる類いである。

焼酎には甲類と乙類があるのだが、いや正しくはあったのだが、いまは酒税法の改正で甲・乙の呼び方が法律の文面から消えてしまった。

酒税の賦課徴収、酒類の製造および販売業免許などについて定めた「酒税法」は、一九四〇年（昭和一五）に制定された「旧酒税法」が一九五三年（昭和二八）に全面改定され、その後改正がおこなわれ、最新では二〇二〇年（令和二）にもおこなわれている。

それによると「第一章　総則」の「第三条　五　蒸留酒類　次に掲げる酒類（その他の発泡性酒類を除く。）をいう。」とあり、以下のように記されている。

イ　連続式蒸留焼酎
ロ　単式蒸留焼酎
ハ　ウイスキー
ニ　ブランデー
ホ　原料用アルコール
へ　スピリッツ

この「イ　連続式蒸留焼酎」が甲類焼酎にあたる。改正される前には「連続式蒸留機」によって純粋アルコールを三六度未満まで加水したものが甲類とされた。そして、「連続式蒸留機」を使わない「ロ　単式蒸留焼酎」が乙類であった。

乙類には米、芋、麦、そばなどからつくった焼酎、泡盛などがある。それに清酒を醸造した際の酒粕を蒸留した粕取り焼酎もこの類いである。ノンフィクション作家の稲垣真実氏は、昭和五〇年代から起こる焼酎ブームは、甲類よりも乙類、それも本格焼酎と呼ばれるものが牽引したものだったとしている（『現代焼酎考』岩波書店、一九八五）。

一方、甲類は乙類にくらべピュアで個性がないので、生で飲むだけでなく、レモンや特製の割り剤などのエキスを加えたり、さらに炭酸で割ったりして飲むのが一般的である。

甲類焼酎の代表格は「宝焼酎」で、最近流行っている「金宮焼酎」も甲類である。日本酒やウイスキーなどの洋酒にくらべ価格は安いが、アルコール度数は高い。労働者や大衆向けといわれるゆえんである。

くどいようだが隅田川以東の東京下町地域では、原則的に「ハイボール」「ボール」と言えば、この甲類焼酎の炭酸割りのことである。

隅田川以西では、というよりも一般的には、ウイスキーの炭酸割りを「ハイボール」と呼び慣わしている。本当は「ウイスキーハイボール」のほうが本来の姿であり正統なのであるが、こちらの地域ではウイスキーベースのものをあえて「ウイスキーハイボール」と呼んで区別している。甲類焼酎を炭酸で割る「ボール」は、「ウイスキーハイボール」をまねた代用のロングカクテルととらえることができる。

魚料理に白ワイン、肉料理には赤ワインというように、「もつ焼き」などの「もつ料理」の相方は、やはりウイスキーではなく焼酎なのである。それも甲類焼酎がもつ料理独特のクセに合い、いまも大衆に愛されている隅田川以東のアルコール飲料なのである。

もつ料理（焼き・刺し・煮込み）と焼酎ハイボールのセット（2006年「みつわ」で撮影）

下町ハイボールの味の決め手となるのはハイボールに注がれるエキスである

下町ハイボールの味の決め手となるのはハイボールに注がれるエキスで、主にレモンとウメが用いられ、専用の業務用のエキスもある。

ただし、各々の店で出されるエキスの調合は、その店ならではの企業秘密となっている。この隅田川以東で飲まれる、ウイスキーではなく、昨今再び人気を博している「ホッピー」でもない、焼酎ベースのハイボールを「下町ハイボール」と総称しておく。

隅田川以西の東京下町でも「酎ハイ」「焼酎ハイボール」といった焼酎ベースの炭酸割りはあるが、それは亜流と見るべきであろう。なぜならば、焼酎の炭酸割りの形成過程や誕生後の分布の濃度からして、いわゆる工場労働者の多い隅田川以東に色濃く分布しており、きわめて地域的な背景をもったアルコール飲料だからである。

よく隅田川西岸地域の人が、「川向こうは下町ではない」と豪語する。こういう人に限って、歴史的認識が不足していて根拠の定かでない巷説を振りかざす。そういう人に聞いてみたい。隅田川東岸の本所・深川は下町とは呼ばないのか。呼ぶとすると、本所・深川は別格なのか。もっと近世江戸の都市形成の過程を学んだうえで、少なくとも江戸時代の江戸と近代以降の東京の下町くらいは区別してもの申してほしい。

なぜならば、下町の範囲は固定しているものではなく、時代とともにその範囲は変化しているからである。

家康が一五九〇年（天正一八）に江戸に入部し、秀忠・家光の三代にわたり近世都市江戸の建設を手がけ、寛永期に一応の完成を見た。その姿を現代のわれわれは「江戸図屏風」で知ることができる。

しかし、一六五七年（明暦三）の大火で、五層の天守がそびえる荘厳な江戸城の構えと江戸市中の都市景観の大半は失われてしまう。その後、復興を遂げるのであるが、近世都市江戸はたびたび災害に見舞われ、災禍と復興をくり返す。このサイクルによって江戸の市中（御府内）は拡張し、平らな土地が連続する東部へ都市域が拡張していく。

都市域の拡張は、いわゆる下町の範囲の拡張を意味している。明暦の大火の前と後では、江戸市中の範囲は異なり、東部を見ると隅田川以東へ広がりを見せる。さらに一八一八年（文政元）に作成された「江戸朱引図」を見ると、東部は中川・古綾瀬川ラインまで拡大していることが確認できる。

その都市域の拡張は近代になっても止まることなく、関東大震災や東京大空襲などの災禍によって範囲をさらに広めていく。

隅田川以東の地域からすれば、隅田川以西の「焼酎ハイボール」は後から根づいたアルコール飲料である。同じ労働者のまちである蒲田や大井などで飲まれていたかもしれないが、それは局地的であり、面的な広がりや鉄道の沿線といった地域的な連続性を有

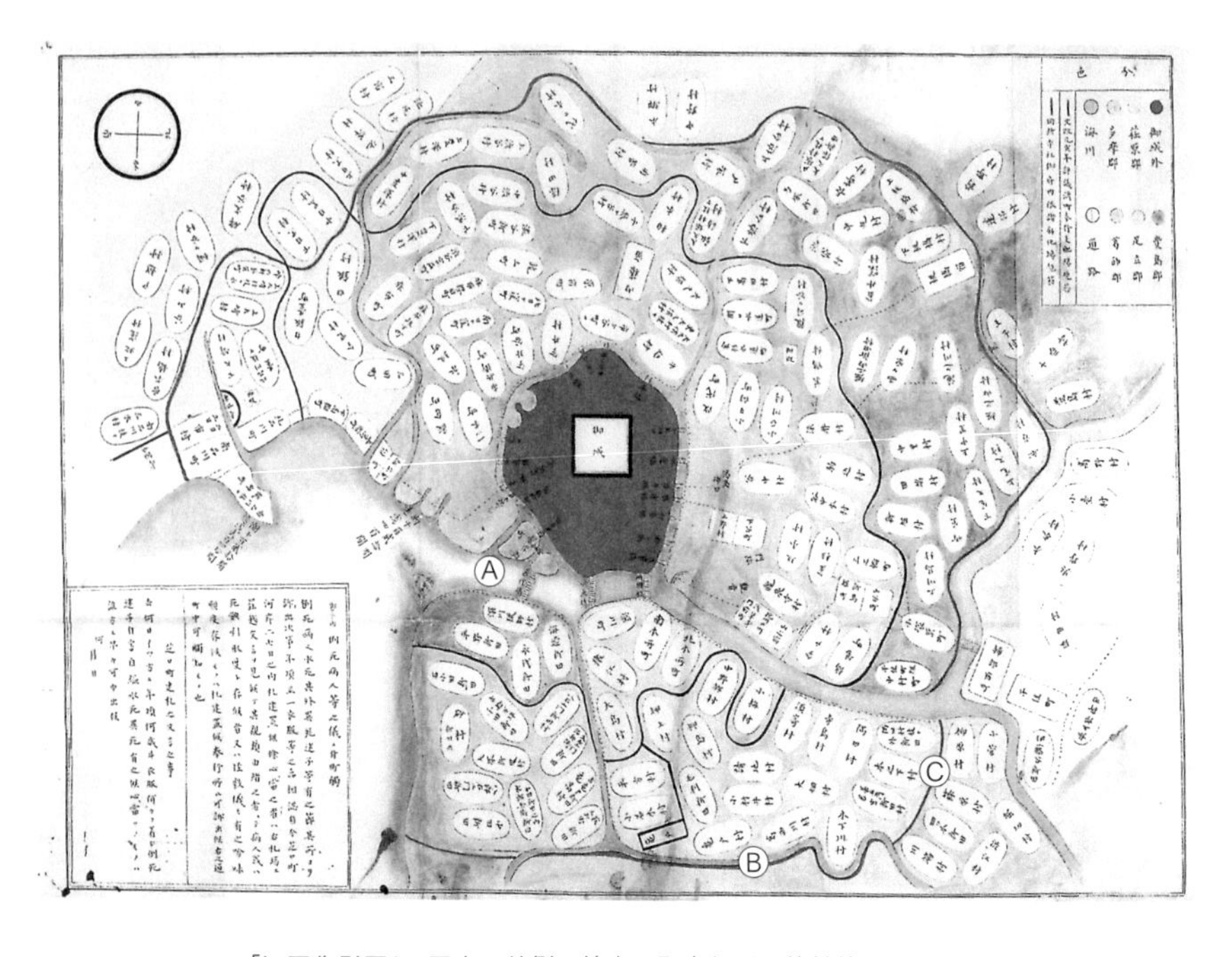

「江戸朱引図」。図中の外側の線内が町奉行所の管轄範囲で、内側の線内は寺社奉行所の管轄範囲。Aが隅田川、Bが中川、Cが古綾瀬川（いまの綾瀬川筋）で、江戸の東部（下方）は隅田川を越え、中川・古綾瀬川までが御府内、つまり江戸市中になっていた

しない、いわゆる「点」の存在である。

隅田川以東、それも京成線沿線にかつては「焼酎ハイボール」を出す店が集中していた。集中していたというより、葛飾界隈の京成線沿線のもつ焼き屋さんには、「ホッピー」を置いている店がきわめて少ないのに対して、ＪＲ総武線や常磐線の駅周辺のもつ焼き屋さんは「ホッピー」の幟を立てている店が多かった。いまではその差異は顕著ではなくなったが、三十年ほど前は明確に別れていた。だから葛飾、それも京成線沿線のもつ焼き屋さんを見知っている私は、ＪＲ沿線のもつ焼き屋さんに入ると雰囲気のちがいを感じていた。

かつて私は、京成線沿線の「焼酎ハイボール」の濃い分布傾向をとらえて、「ハイボール文化圏」という呼称を提案したことがある（「モツ焼とハイボール」『都政新報』二〇〇〇年九月二十六日、「葛飾の夜の名物「もつ焼とハイボール」考」『可豆思賀』二、二〇〇六）。当時は、「焼酎ハイボール」や「下町ハイボール」を分類整理していなかったので「ハイボール文化圏」と命名したが、このとらえ方はいまも基本的に変わらない。あらためて「下町ハイボール文化圏」と呼んでおきたい。

もつ料理の「もつ」は豚もつ

家畜は、枝肉が切りとられると、皮を外され、内臓、骨、血液などが残る。そして内臓は「もつ」や「ホルモン」とも呼ばれ、食用となる。「もつ」という呼び方はどこから来ているのであろう。そのことを正面切って明確に書いているものは少ないが（書くまでもないということなのだろう）、それは臓物の「もつ」であることは疑う余地がないと思う。

「もつ焼き」のことを平気で「やきとり」と呼ぶ人がいる。そしてそれは以前からあったようだ。食文化研究家の佐々木道雄氏は、書誌研究家河原萬吉の著書『古今いかもの通』（一九三〇年）を引用し、関東大震災後にもつ焼きを「やきとり」と呼ぶのは偽りがあるというお上からのお達しで、一時「やきとん」と呼ぶようになったことを紹介している（『焼肉の文化史』明石書店、二〇〇四）。

この「もつ焼き」をなぜ「やきとり」と呼んだのか。それには「やきとり」の歴史を紐解く必要がある。ここではその要点だけ記しておくが、戦後、安価なブロイラーが市場に出まわる前は、鶏肉は牛肉や豚肉よりも高価で高級食材だった。その鶏の内臓を串刺しにして焼いたものがもつ焼きのはじまりだといわれている。この鶏の内臓の串焼きをまねたのが豚や牛の内臓の串焼きで、いわば鶏を使った正規品でない代用品を「やきとり」として提供したのが問題だったのである。

佐々木氏は、戦後のブロイラー導入で鶏肉が安価になり高級感が失われたため、関東では「やきとり」ではなく、「やきとん」の呼び方が盛ん使われているとしているが、それは一部の地域でのことであろう。関東では「もつ焼き」という呼び方が一般的で、こと葛飾は「もつ焼き」名称が色濃く残り、いまも継承されている地域であった。

なぜ「あった」と過去形なのかというと、最近では千ベロの聖地「立石」でも、豚のもつ焼きを出しているのに「ホルモン」あるいは、「ホルモン焼き」や「やきとん」という暖簾を平気で掛けている店が出現しているからである。これも時代の流れなのだろう。

なぜ隅田川以東の「もつ焼き」は豚なのであろうか

では、なぜ隅田川以東の「もつ焼き」の「もつ」は豚なのであろうか。なぜ「豚もつ料理」が定着しているのであろうか。もつ料理（焼き・刺し・煮込み）と下町ハイボールが誕生する背景には、この地域ならではの歴史的な視点なくしては語れず、そこに「荒川放水路」というキーワードが見え隠れする。

江東デルタとも呼ばれる隅田川から中川の間の低地帯は、江戸時代から近世都市江戸の都市機能を維持するための重要な役割を担った地域であった。隅田川から中川沿いや造成された掘割が縦横に走る臨海部は水運の利便がよく、隅田川沿いには浅草御蔵や本所御蔵が置かれ、海沿いには米や雑穀・油・干鰯などの集積地として倉庫が建ちならび、建築材となる材木の一大集積場である木場も整備された。

近代になっても水運の利便性のよいこの地域は、新政府の殖産興業のテコ入れもあって近代工業の地として開発されていく。隅田川流域から江戸川沿いも煉瓦生産の工場が操業し、臨海部も近代的な工場がつぎつぎに建てられ、首都東京を支える工業地として東京東部は重要な地域として発展していく。そして、しだいに軍需産業も盛んになっていった。

それら江東デルタの諸産業を支えた労働者は地元民だけでなく、地方や朝鮮半島から

小名木川の盛んな舟運と沿岸の工場

中川水門の工事風景。荒川放水路開削には最新の技術と大量の労働力が投入された

来た人々が従事していた。

そのような状況の中で、荒川放水路の掘削工事が一九一三年（大正二）から始まった。日本人に混じって多くの朝鮮半島の人々が放水路開削に従事した。

掘削工事に従事した朝鮮半島の人々は、工事終了後も荒川放水路の沿岸地域に居を構え、生活の場とした。その人々が「豚もつ料理」を食する食文化をもっていたので、需要に応えるため肉屋さんでも「豚もつ」を扱うようになり、この地域に「豚もつ」の食文化が定着する下地ができたと考えている。

安価で滋養のある「豚もつ」という、その地域ならではの食材に着目し、労働者向けに「豚もつ」を使って、焼いたり、煮たりして調理する「もつ料理」が生まれたのである。

「もつ料理」と「ボール」という飲食は、安くて滋養のある「もつ」と、安価な甲類焼酎をベースにした本来のウイスキーではない「ハイボール」が考案され、町工場などで働く労働者の滋養と仕事の疲れを癒すために提供された飲食なのである。

今日の葛飾のもつ焼き屋さんや飲み屋で出されるもつ料理や相方のボールの誕生に荒川放水路が関わっていることを知っておいてほしい。

よく関東大震災で罹災した人々や被害を受けた産業が東京下町の東部、荒川沿岸地域に避難してきて、田畑が広がっていたので宅地や工場をつくりやすかったと説かれるが、そのような単純な図式ではない。荒川放水路開削による放水路沿岸のインフラの再整備が、産業と生活を再構築する環境を整えたことに注目すべきだろう。先の大戦で空襲の被害に遭った時に荒川放水路以東に人や産業が移ってきたことも、この脈絡から理解できるのである。

大小の工場をはじめとする新たな産業がこの地域に根づき、それを支える労働者が増えた。荒川放水路沿岸地域の人口は急激に増加し、なかでも労働者が占める割合が高くなり、彼らのニーズを満たす飲食文化が求められていたのである。

といっても、もつ料理と焼酎ハイボールの飲食文化が形成され、立石が千ベロの聖地と呼ばれるまでには、それなりの時間が必要であった。闇市から誕生したというような一元発生論的なストーリーではないし、同一時期にもつ料理と焼酎ハイボールが広まり、セット関係をなしたとも考えていない。

もつ料理は、戦前から徐々に広まっていたが、焼酎ハイボールの展開は戦後になってからである。とくに、この地域での焼酎ハイボール誕生の契機は、ＧＨＱの存在が大きいと考えている。まずはじめに、もつ料理と焼酎という飲食形態が形成されたと想定される。「宇ち多」さんが、まさにその状況をいまも保っているといえる。

占領下、東京でＧＨＱの兵士が呑むウイスキーを炭酸で割るウイスキーハイボールは、戦争により醸造業も壊滅的な被害を受け、メチル、カストリ、バクダンと呼ばれる密造酒が横行したなかで、羨望の眼差しが注がれたであろうことは想像に難くない。焼き鳥の代用品としてもつ焼きができたように、ＧＨＱが頻繁に訪れ飲食をする隅田川以東で、ウイスキーハイボールの代用品として焼酎ハイボールが誕生するのは、それほど難しいことではなかったのではないかと思われる。

しかし、隅田川以東にもつ料理と焼酎ハイボールの飲食文化が形成されたからといって、立石が千ベロの聖地と呼ばれることにはならない。なぜ立石だけが千ベロの聖地と呼ばれるような人の集まる賑わいをみせるようになったのであろうか。それは立石ならではの事情がある。そのことは追々触れることにしたい。

ここでは、今日の葛飾のもつ焼き屋さんや飲み屋で提供されるもつ料理や相方のボールの誕生の背景に、荒川放水路の開削がかかわっていたことを知っておいてほしい。

もつ焼き屋さんで出されるもつ料理は、基本的に「焼き」「煮込み」「刺し」の三つ

もつ焼き屋さんで出されるもつ料理は、基本的に「焼き」「煮込み」「刺し」の三つの調理法で料理される。

この「焼き」「煮込み」「刺し」の三つを基本に、「焼き」だったらシオ、タレなどの味の付け方や焼き加減、「煮込み」だったら味ベースや具材など、「刺し」だったら種類やごま油の有無という具合に、バリエーションがあり、その組み合わせが店によって異なっている。その店の「焼き」「煮込み」「刺し」それぞれの特色と組み合わせをおさえることによって、その店ならではのもつ料理の特徴を見出すことができる。

その際、たとえば「あの店はカシラが旨い」あるいは「カシラのタレヤキが旨い」などとらえるのもよいが、「あの店の煮込みは他のお店とさほど差異はないが、カシラのタレ焼きが何といってもお薦めだ」とか「他のお店にはないテッポウの刺しがある」というふうにとらえてはどうか。一押しだけをあげるのではなく、三つのもつ料理のあり

方を観察することで、他の店と共通する点、異なる点が容易に理解でき、その店ならではの工夫やこだわりなどが見えてくる。そして、仲間や第三者にも明確に店の特徴を説明でき伝えることができる。

そんなところに力を込めなくともよいのではないかと言う御仁もいるとは思うが、ただルーチンワーク的にもつ焼き屋さんで時間を過ごすのはもったいない。若いうちは良いのかも知れないが、仮に人生八〇年とするとその折り返し点はすでに過ぎ、日一日と

「もつ料理の三種の神器」。上から焼き（ヤキ）・煮込み（ニコミ）・刺し（サシ）（いずれも2009年撮影）

終焉に向かうなかで、少し「知的」な遊び心をもつことで、もつ焼き屋さんで過ごす時間が楽しく有意義になるのではないだろうか（よけいなことかもしれないが）。

　さきにも取り上げたが、「モツ焼とハイボール」という小文が、私のもつ焼きへの思いをアウトプットした最初の文章だった。その時に、「焼き（ヤキ）」「煮込み（ニコミ）」「刺し（サシ）」の三つの料理のあり方を「もつ三形態」と呼んだことがある。

　しかし、しばらくして「形態」という使い方が適切ではないのではないかと思い、もつ料理の「三種の神器」と呼びあらためることにした。

「形態」では「形のあり方」という意味合いになり、調理方法のちがいではなく、調理後の「形」ということになってしまう。だからといって「三種の神器」とは少々大袈裟かもしれないが、この三つの種類が揃ってもつ焼き屋としての看板をあげられるのであって、どれかひとつ欠けてももつ焼きファンを納得させることはできない。

　仕入れの段階からの手間ひまかけるていねいな仕事が、その店の善し悪しになる。下ごしらえに手抜きして、どれかひとつを手掛けないとなると、「チェーン店の飲み屋で諸々のメニューの中にもつ焼きやもつ煮込みがある」ということと同じになってしまう。三つのもつ料理が揃ってなければ、もつ焼き屋という看板を掲げる条件を満たしていないのではないだろうか。

一時、「焼き」「煮込み」「刺し」の頭をとって「もつ料理八・二・三」というキャッチフレーズも考えたが、やっぱり「もつ料理三種の神器」に落ち着いた次第である。いやいや待てよ。八月二十三日をもつ焼きの日にしてはどうだろうか。

戯言はこの辺で終わりにして本題に戻ろう。

「焼き」とは、串に刺したもつを焼くお馴染みのもので、味付けは「シオ」と「タレ」が基本である

「焼き」とは、竹串に刺したもつを焼くお馴染みのもので、味付けは「シオ」と「タレ」が基本である。店によっては埼玉県の東松山で流行っている「ミソダレ」や、唐辛子を利かせた「カラヤキ」など独自の味つけがある。

また「スヤキ」といって、「シオ」をふらず、「タレ」を漬けない素のままの焼き方もある。「宇ち多」さんでは、「スヤキ」は醤油をかけて焼く。仕上げに酢をかける頼み方

もある。「シオヤキ」は、素材の新鮮さと素材そのものの味を堪能できるが、「タレヤキ」は素材というよりも、店独自の味わいがあって興味がつきない。

多くの場合、「タレヤキ」のタレは業務用のものが使われているようだが、それでも何度も何度も焼きものを漬けては焼くことをくり返すことでもつの旨味がタレにしみ込み、新しいタレを注ぎ足してはそれをくり返す経年の中で、その店のタレの味が仕上がってくる。

タレにこだわる店はそれだけでは満足せず、きちんとタレに下ごしらえをする。どのような仕事をするのかは企業秘密なので簡単には教えてくれはしないが、私の好きな甘みと旨みがある思い出の屋台系のタレは（現在の三平、金町の大渕さんなどがその系列）、繊維質の破片が混じっていることから、察するところおろした生姜が決め手になっているのではないだろうか。まだまだ私たちではうかがい知れない奥の手が隠されているにちがいない。そんなことを想像しながら「タレヤキ」を食べるのも楽しい。

焼き方も、ステーキと同じようにレア、ミディアム、ウェルダンがある。焼き加減の注文を聞いてくれる店も多い。たとえば、レバーの「ワカヤキ」を頼むと、鰹のタタキと同じようにまわりに火が通り、中は生の状態で出てくる。つまりレアということ。

「ヨクヤキ」をお願いするとしっかり焼いたウェルダンであり、何も言わなければ、必然とミディアムとなってテーブルに出されることになる。

お客さんに早く出すために、一度軽く火を通しておき、注文を受けるとそれを焼きなおす店もある。その場合、当然のことであるが、カシラなどの部位で、ワカヤキのできるレバーなどではない。

一皿の本数は、焼き物によっては三本ということもあるが、普通二本の店と四本の店があり、後者が多いようである。四本の店は焼き方や焼き物の種類を二本ずつ別に混ぜてくれる場合が多い。たとえば、注文の仕方は、「レバ、ハツ混ぜタレ」とか、「レバシオ、カシラタレ混ぜて！」など。

たいていの店は、「シオ」焼きの場合はカラシを皿に添えてくる。あとは個人のお好みで、唐辛子を振りかけてもよし、酢が置かれている店は酢をかけても良し、好きなように味を仕上げて頬ばる。

焼き物そのものとともに、焼き台などにも店によって特徴があったりするので面白い。昔ながらの炭で焼きあげる店が多く、備長炭云々という木札が掲げられていたりする。焼き台の四面には四角いタイルが貼りめぐらされているものがある。それらは一昔前の

「みつわ」の飲み物ともつ料理などの品書き。「うなぎくりから焼」は立石のほかのもつ焼き屋さんにはない（2008年撮影）

「江戸っ子」のもつ料理などの品書き。もつ焼きの味に注目。ここにはやりとりもある（2009年撮影）

意匠で、長年使い慣らされている代物にちがいない。一生懸命に焼き台で串をひっくり返し、火の調節をしている店の人の背中や手許を見るのもボールのつまみになってまた楽しい。

もつ焼き屋さんの「煮込み」は、一般的には味噌ベース

もつ焼き屋さんの「煮込み」は、一般的には味噌ベースで煮込んだもので、豚のガツ、ショウチョウ、ダイチョウ、チョクチョウ、コブクロなどが使われる。

「宇ち多」さんのようにもつだけ煮込む店とコンニャクや野菜、豆腐を添える店がある。後者のほうが一般的だ。味も味噌ベースだが白味噌系や赤味噌系、合わせ味噌系など、店によってちがいがあり、醤油のほか、隠し味にさまざまな工夫を凝らし、その店ならではの味付けがなされる。煮込み汁を注ぎ足しながら、味を調える店も多い。

そういう意味では、「宇ち多」さんのもつ煮込みは別格なのであろう。他の一般的な味噌ベースの味ではなく、どう表現してよいのか筆舌につくしがたい、「宇ち多」さん

ならではのというか、「宇ち多」さんでしか食べられない味である。「宇ち多」さんでは、クロとかシロの好みを言って注文すると、取り分けて出してくれるし、もつ焼きを頼んで「ミソだれ」というと、この煮込みの汁をかけて出してくれる。

立石ではないが、金町の「ブーちゃん」では冬限定の鰹節で出汁をとった醤油ベースの煮込みがある。お試しあれ。

とあるもつ焼き屋さんで煮込みの話をしたら、むかいに座っていた人が「煮込みの旨いのは山利喜さんだろう」と意見を差しはさんできた。私も「山利喜」さん（江東区森下）は旨いと思うが、そもそも「山利喜」さんの煮込みは、牛のもつ（シロとギアラ）である点にご注意いただきたい。この人は、豚と牛のもつのちがいもわからず（気にせず）のたまわっているのだなと思いながら、深い話にならないようにかわした。本書ではしつこいようだが豚もつを話のネタにしているので、申し訳ないがこのあたりまでとさせていただきたい（それに「山利喜」さんはもつ焼きではなく、メニューは焼きトンとなっている）。

どの店でももつ煮込みの基本は、大きめの鍋で、アクや余分なアブラをていねいに取り除きながら、じっくりと時間をかけて煮込む。煮込みの具材は、大きめに切った豆腐を入れているところでは、豆腐抜きと豆腐のみの注文もできるところが多い。

煮込みには、薬味として葱がのることが定番だが、京成小岩駅近くの「三平」さんでは、汁がほとんどなく、玉葱のスライスを添える一風変わった煮込みを出している。葛飾の「煮込み」は、「焼き」とともにかなりレベルが高いと思う。自分好みのもつの煮込みを見つけるのも楽しみのひとつであろう。

刺しには串刺しと串に刺していないバラ盛りの二通りがある

「刺し」は、もつの生食のことである。しかし、レバー以外の部位はボイルしたものを出していた。過去形なのがとても悲しい。豚レバーが食べられなくなったのは、二〇一一年（平成二三）四月十一日に起きた焼肉チェーン店での集団食中毒事件が事の始まりだった。覚えている方も多いと思うが、富山・福井・神奈川県にある店舗で食事をした利用客一〇〇人以上が食中毒にかかり、五人が命を落とすという惨事となった。

その後の調査で、ユッケを食べて非常に毒性が強い胆管出血性大腸菌（O−111）により、多くの方が食中毒になってしまった。原因は、肉の卸元が解体して肉と臓物を切り分ける時、包丁と俎板を使い分けなくてはいけないのに、それをしないばかりか、本来生食用の牛肉でないものを生食用と偽って店に納め、ユッケに使われていた。それだけではなく、焼肉店も安全性を高めるために通常おこなっている肉の表面を削るトリミングをおこなわないばかりか、前日に残ったユッケを翌日に使いまわすという、卸元と焼肉店のコンプライアンス欠如によって起こるべくして起こってしまった事件だった。

翌年から食品衛生法で牛の生レバーの提供が禁じられ、それを補うかのように豚の生レバーの需要が伸びたが、二〇一五年（平成二七）に豚の生レバーも禁止となった。焼いた豚レバーの苦みと食感があまり得意ではない私は、新鮮な豚の生レバーのほのかな甘みとプリプリした食感がたまらず、焼酎の相方に最適だった。昨今の豚レバーの刺しはボイルしてあり、酢味噌を添えてくれる店もある。

レバー以外の部位は、「ハツ」「タン」「シロ」「ガツ」「コブクロ」などで、「刺し」の好みや楽しみ方はそれぞれであろうが、盛りつけ方から見ると、串刺しと串に刺していないバラ盛りの二通りがある。通常ショウガかニンニクを添えて醤油をつけて食べるが、ごま油をかけるところもある。多くの店では、卓上にごま油や酢を用意してあるので、好みでかけて食べることができる。ニンニクは好きなのだが、添えてあるのが生のおろしニンニクなので、家に帰ると「ニンニク食べてきたでしょう」と注意ではなく警告を受けてしまうのでショウガで食すことが多い。

薬味は煮込み同様、「刺し」も葱が定番だ。しかし、「ガツサシ」に葱ではなく、玉葱のスライスを添える店もある。最近では、刺しの盛り合わせを用意してくれる店も増え、「刺し」ファンには嬉しい。

もつ料理の素材となる豚もつについても一言述べておきたい。その日の朝に絞めた新鮮なものを提供していることをもっと宣伝したほうがよいのではないだろうか。最近、都内でそのようなことを謳い文句にしている店も見られるようになった。店としては、新鮮なもつを使っていることは当たり前のことだと思っているのだろうが、お客目線で見たらそれは重要なことだと思う。

たとえば、「芝浦」から取り寄せていれば、「芝浦ブランド」と銘打って宣伝するほうが、どこから仕入れたもつなのかわかり、安心安全の観点からもよいし、芝浦で働いている人にとっても悪い気はしないであろう。

焼酎だって、いまは「キンミヤ」が売れていて、「キンミヤ」を置いていることを宣伝しているが、三十年前までは、このあたりでは北千住の「大橋」さんで扱っている程度で、宝焼酎が一般的だった。当たり前のことだからとせず、宝焼酎の「下町ハイボール」ということをこれからは訴えていったほうがよいと思う。

下町ハイボールの味のバリエーションは、「焼酎」「エキス」「炭酸水」の三要素によって決まる

京成線沿線は、もつ焼き屋さんとともに下町ハイボールの分布が濃密なため、味のバリエーションが豊富である。下町ハイボールの味のバリエーションは、「焼酎」「エキス（割り剤）」「炭酸水」の三要素によって決まる。

焼酎はすでに述べたようにいわゆる甲類であり、味的には基本的にピュアなものである。アルコール度数二五パーセントのものが一般的に使われる。度数が強ければ口当たりも変わってくるが、下町ハイボールの味という点では主役ではなく脇役であろう。

それにくらべて、「エキス」が店の味を決める大きな要素といえよう。主にレモンとウメが用いられ、専用の業務用エキスを使う店も多い。「ホイスハイボール」という独

特のエキスを用いる店もある。店によっては、エキスに一手間かけて調合している場合もあり、その店ならではの企業秘密となっている。

つぎに侮れないのが「炭酸水」だ。メーカーによって炭酸水の味わいが微妙に異なっており、当然「エキス」との相性も生じてこよう。私は、炭酸水は触媒的役割と見ている。下町ハイボールは、エキスで味が決まるとイメージしがちだが、それだけを口に含んでも、洗練されておらず、まだ磨かれていない玉のようなものである。

それに炭酸水を加えることによって、グラスの中で起こるカオスから生み出されるコ

「こまどり」のホイスハイボールの張り紙
（2011年撮影）

スモスともいうべき化学反応が、飲み口、そして喉越しを決める。まさにロングカクテルならではの三要素の結びつきによって奏でられるハーモニーが下町ハイボールの味といえよう。

近年、焼酎ハイボールを調合するサーバーが普及し、この店はどのメーカーの炭酸水を使っているのか、個性を確かめにくくなってはいるが、呑み助にとっては店によって異なった下町ハイボールを味わうことができるのも楽しみであるし、魅力だ。

下町ハイボールの楽しみ方はまだある。もつ料理と下町ハイボールは、戦後の闇市や工場近くの飲み屋などで提供された、ファストフード的な「早い・旨い・安い」、さらにすぐ酔えて滋養のあるものとして労働者に好まれ、定着していったのである。

もつ料理と焼酎ハイボールという地域的な飲食文化が闇市や工場近くの飲み屋で形成され、それがもつ焼き屋という専門店へと展開するのであるが、もつ焼き屋さんとは異なる別系列も派生する。もつ料理をメインメニューとしない定食屋や食堂の存在である。

もつ料理と焼酎ハイボールを提供する店を大きく分けると、（A）もつ焼きの店、（B）焼酎ハイボールの店、そして（A）（B）が重なる（C）もつ料理と焼酎ハイボールの店に分類できる。

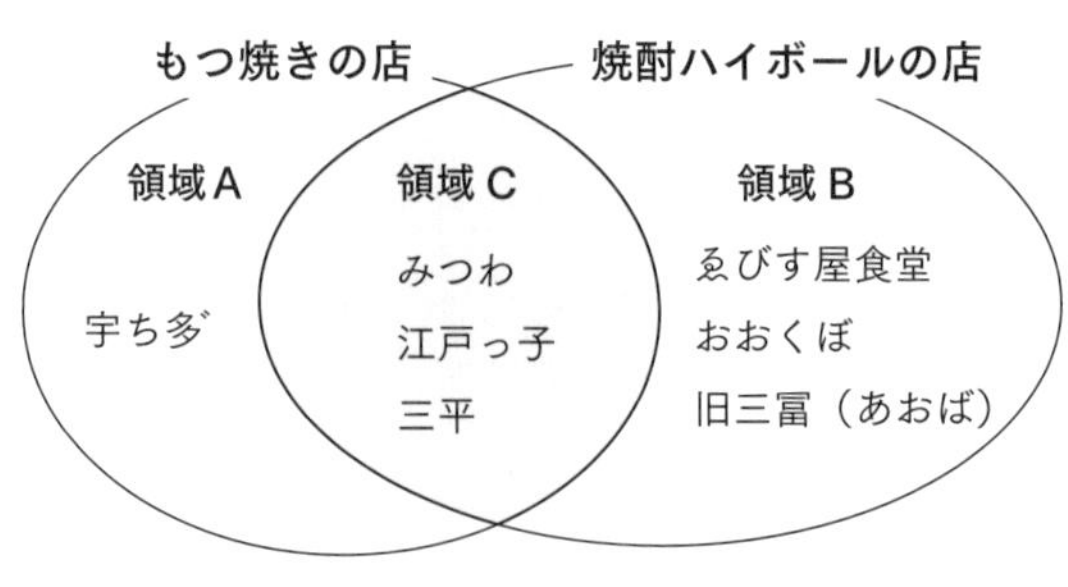

もつ料理と焼酎ハイボールのバリエーションと組み合わせが立石・葛飾の魅力

一般的に千ベロの聖地「立石」を代表するもつ焼き屋さんというと、「宇ち多」「みつわ」「江戸っ子」「三平」あたりをあげられるが、それらは（A）と（C）から構成されていることがわかり、しかも主体は（C）なのである。

「宇ち多」さんには焼酎ハイボールがなく、別格である。別格というよりも、焼酎ハイボールが広まるより前の、焼酎を炭酸水で割らず、生で飲む古い飲みの形態が残されていると言ったほうが適切であろう。

ここで注目してほしいのは、（B）のグループである。もつ焼き屋さんではないが、その店ならではの旨い焼酎ハイボールを提供してくれる店だ。ここに千ベロの聖地「立石」の懐の深さがあり、魅力を醸し出していることに気づいている人は少ない。なにも地元の人は、特別視することもない当たり前のことで、雑誌やネット上に紹

柴又ハイボールの張り紙

葛飾の炭酸水は江戸川を源泉とし金町浄水場で高度浄水
処理された出来立ての水でつくられている(「大越飲料」)

介された記事を頼りに立石に足を運んで飲んでいる人は（B）も要チェックである。

それから下町ハイボールを店で楽しむのもよいが、自宅でも楽しむことができるので、最後に紹介しておきたい。葛飾区には柴又、新小岩、水元に炭酸水を製造している工場がある。原料となる水は金町浄水場でつくられた江戸川由来の区内製造の水を使っている。

「下町ハイボール」のなかでも、この葛飾の炭酸水でつくった焼酎ベースのハイボールを「葛飾ハイボール」と呼び別けておきたい。

さらに柴又、新小岩、水元それぞれの炭酸水を使って、味付けエキスを工夫すれば、「柴又ハイボール」「新小岩ハイボール」「水元ハイボール」が誕生する。水元の工場ではハイボールの素もつくっているが、地域性を考えると、水元ではブルーベリー、新小岩では小松菜を使えば、その土地ならではのハイボールを楽しむことができるのではないだろうか。

すでに柴又駅近くのお店では、ドリンクメニューに「柴又ハイボール」があって、柴又での一時を演出してくれている。最後に、くれぐれも自宅でつくる焼酎ハイボールのベースは麦や芋の乙類ではなく、甲類を用いることを忘れないで欲しい。

3

立石のもつ焼き屋さん細見

葛飾の夜の名物としてもつ焼き屋さんを記録する

昭和が遠くなってしまった令和の時代、どのようにしたら懐かしい盛り場のことを後世に伝えられるのか。それも葛飾の夜の名物としてもつ焼き屋さんを記録できるのか。夜な夜なハイボールや焼酎の梅割のグラスを片手に、酔いにまかせいろいろ考えてみた。ふと「もし、このもつ焼き屋さんが遺跡として姿をあらわしたら、どのようになるだろうか」ということが頭に浮かんだ。

私は考古学を専攻している。考古学と聞くと、貝塚や古墳など古い時代ばかり扱っているとイメージされている。しかし、日本における考古学方法論の基礎を築いた濱田耕作の名著『通論考古学』に、「考古学は過去の人類の物質的遺物（に拠り人類の過去）を研究する学なり」と定義されている。考古学が扱う時代は原始・古代に限られたものではなく、現代までも対象とすることが理解できる。

一般的に古墳時代以前の考古学を「先史考古学」と呼び、律令時代あるいは寺院が造営される六世紀後半以降の文字・記録が残されている時代を対象とした考古学を「歴史考古学」とする。「歴史考古学」は、飛鳥時代や奈良・平安時代だけでなく、中世・近世・近代・現代に至る物質資料を研究の素材に人の営みを調査研究する。近年では中世や近世の城郭や近世都市江戸の発掘がテレビや新聞などで報道され、新しい時代の発掘調査も知られるようになった。

近現代を対象とした考古学は、それよりも前の時代を扱った考古学的手法と基本的になんら変わるものではない。しかし、明らかに異なる点もある。それは二点に集約できると思う。ひとつは、一般的な遺跡のように地中や水中に遺存せず、可視できる状態で保たれているものも多いことや、現在使用されている「稼働遺産」なども含まれるという点である。

もう一点は、対象とする資料のことを知る人々に聞き取り調査ができるという点である。それ以前の時代を対象とした考古学が扱う資料は「沈黙の資料」ともいわれているが、近現代を対象とする考古学の場合、資料を使用したり、見聞きした人の話を聞いたりすることが可能である。それ以前の考古学との明確なちがいはこの点にある。

さらに文献や絵画資料を検討し、場合によっては同時代の映像なども扱う考古学研究も新領域として注目される。そして近代以降、首都東京の一角を占める東京下町は近現代を対象とした考古学の恰好のフィールドなのである（『増補改訂版　江戸東京の下町と考古学』雄山閣、二〇一九に解説した。参考にしてほしい）。

甲類焼酎で覚醒した私の脳は、問いをつづけた。もし、この店が地中に埋没したら、木質や皮革製品などの有機質の「モノ」は、長い年月のうちで朽ち果ててしまう。いや、立石は低地だから、地下水位も高いので、隣の青戸で発掘された葛西城で多種多彩な木製品類が発掘されたように、埋没環境によっては朽ちることもなく保存される場合もあるか……などと酔いにまかせて一人でブツブツと自問自答となった。

甲類焼酎ともつ焼きによる覚醒はつきない（2020年、「宇ち多」にて撮影）

そのような悠長な問答ではグラスを重ねるだけで、仕舞いには酔いつぶれてしまうという危機感から、柱跡や水道・ガスなどのインフラの跡などの遺構のことは考えないことにした。唯一、この店が発掘されて、年代・場所を参考にしながら「もつ焼き屋跡」とわかる資料となり得るのは何かという絞り込みの結果、店で出される飲み物のグラスと料理を提供する器に注目することにした。

遺跡となってこれらの「モノ」が出土すると、かつてのもつ焼き屋さんの姿を彷彿とさせてくれるだろうか。遺跡となった場合、焼き鳥屋さんともつ焼き屋さんのちがいはどこで判別できるのだろうか。器からは難しいかもしれない。いやまてよ、自然科学的分析をすると判明するのではないかなどと思いながら、立石の夜は深まっていった。

翌日酔いが覚めても、もつ焼き屋さんの何を記録するのかは手帳にメモしていたので、グラスと器を実測する算段を考え、開店前の行きつけの「宇ち多」「みつわ」「江戸っ子」の三軒の店の暖簾をくぐった。

さっそく、グラスと器の調査にとりかかった。ただし、酔いが覚めてみると、グラスと器だけでは後世に伝える店の情報があまりにも少ない。そこで遺構よろしく店を実測することにした。記録の手法として図化することによって、研究の素材となり、さまざまな分析が可能となるだけでなく、後世へ継承する資料となるのではないかと思ったしだいである。

以下、その成果を紹介したい（調査を実施したのは二〇〇七年〔平成一九〕で、『可豆思賀』に報告したことがあるが、今回大幅に修正。現在ではグラスには変化はないが、器は変わったり、店の様子も変わっていたりするところもあるので、その点はご承知おきいただきたい）。

店の床面積は、店舗部分でバックヤードは含んでいないが、図面を見ていただければバックヤードの様子もわかると思う。間口は通路に面している店の広さ、出入口は客が出入りする入口幅、客数は客が普通（ゆったり目）に座った時の人数で、実態として客は詰めてもう少し入るが、店の大きさを知る参考値としていただければと思う。焼き台のことも紹介している。大きさや一度に焼ける串焼きの本数も店の規模を知る参考値となろう。もちろん、近現代の考古学的研究らしく、体験者である私の店への思いも記しておこう。

宇ち多゛

場所：立石一丁目一八番　一九四六年（昭和二一）創業

「宇ち多゛」さんは、戦後間もない一九四六年（昭和二一）に屋台から始まった。いまやテレビ雑誌で名を知られた「宇ち多゛」さんについてはあまり説明する必要もないかもしれ

ない。

この後で紹介する「みつわ」さんと「江戸っ子」さんとちがい、ハイボールがないのが特徴で、そのかわり焼酎の梅割が名物。煮込みも独特な風味があり、焼き物に煮込みの味噌をかけたものも一興。新鮮なレバー生は一度食べたら忘れられない味で、早く行かないとなくなってしまう生系メニューも垂涎ものだった。レバーの生食が禁止され、メニューからなくなり食べられないのがとても悲しい。

ふだんは二時頃から列をつくるが（いまは昼前から）、土曜日には昼前から開店待ちする客がならび、以前は仲見世で買い物をする人々を驚かせていた。以前というのは、いまのように飲み屋が連なる前の仲見世は、買い物客が多く行き交っていたのである。

店の規模は、西側の間口四間、東側は三間半、店の南北は三間、天井高二・四メートル、床面積は約三三平方メートルである。西側と東側に出入口があり、いまは西側を主に入口用に使い、東側は出口専用となっている。昔は両方から出入りできた。

平面図を見るとわかるが、店はクランク状になっている。なぜそのような形状になったかというとは、隣接する店舗スペースをとり込みながら拡張してきたからだ（一五四頁参照）。収容客数は三十一人程度（テーブル二十四席、カウンター内四席、カウンター外三席）だ。

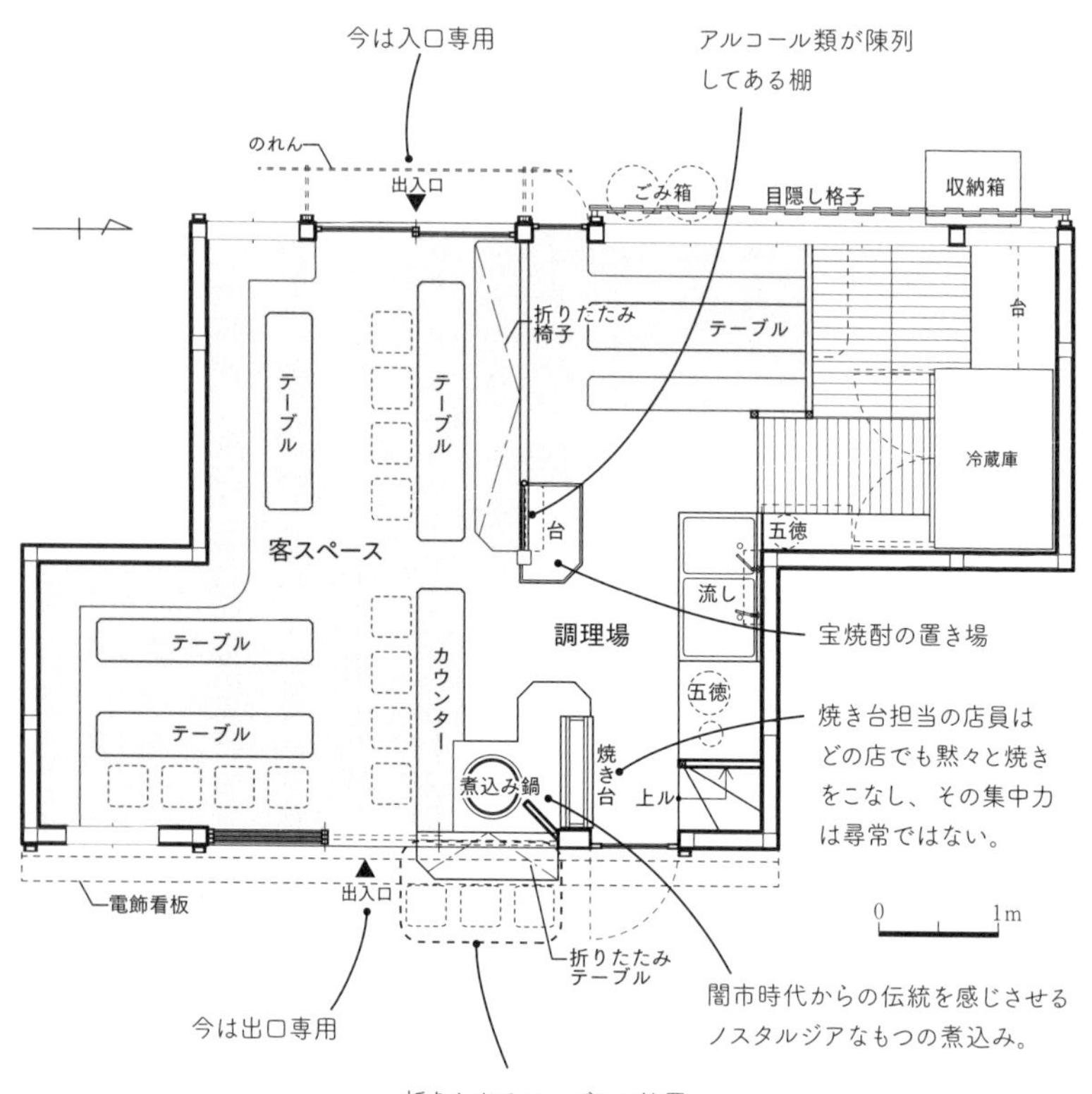
今は入口専用
アルコール類が陳列
してある棚
のれん
出入口
ごみ箱
目隠し格子
収納箱
折りたたみ
椅子
テーブル
台
テーブル
テーブル
冷蔵庫
台
五徳
客スペース
流し
調理場
宝焼酎の置き場
テーブル
カウンター
五徳
テーブル
焼き台担当の店員は
どの店でも黙々と焼き
をこなし、その集中力
は尋常ではない。
焼き台
煮込み鍋
上ル
電飾看板
出入口
0
1m
折りたたみ
テーブル
今は出口専用
闇市時代からの伝統を感じさせる
ノスタルジアなもつの煮込み。
折りたたみテーブルと外置
きの椅子に屋台時代の記
憶が継承されている。

「宇ち多」の平面図

店は、女性二名と男性四名の都合六名で切り盛りしている。男性三名が接客を担当し、各々店の客スペースの北・南側エリアおよび煮込み鍋の前のカウンターを受け持っている。厳密に各々の持ち分が仕切られているのではなく、臨機応変に対応している。

煮込み鍋は先代の担当で、鍋の具をかきまわしたり、煮詰まってきたら水を足して味を調節したり、注文を受けて煮込みを盛りつけている時以外は主に鍋まわりのカウンターの接客をしている。それと勘定におつりがあれば、それを用意するのも先代の仕事

「宇ち多」の焼き台（2009年撮影）

「宇ち多」のもつ煮込み鍋（2009年撮影）

2代目（中央）、3代目（右）、3代目の弟さん（左）
（2009年撮影）

もつ焼 宇ち多゛

千ベロの聖地「立石」では昼飲みは当たり前（2009年撮影）

となる。

最近、接客を担当する三代目がたまに煮込み鍋の具をかきまわしたりすることがある。二代代から三代目へ「宇ち多」さん伝統の煮込みづくりの継承が進んでいるようだ。

女性二人のうち一人が焼き専門で、焼き台は炭火焼きで、長さ九〇センチ、最大約二十本焼くことができる。もう一人の女性と男性一人が冷蔵庫からもつやお新香、ビール、サイダー、ウーロン茶などの飲み物を出す担当で、グラスや食器の洗いもその女性の重要な仕事となっている。男性は、最近の第三次立石千ベロブームを受け、長蛇の列となって入店待ちをする客が近隣の店や買い物客の迷惑にならないよう、列の整理のために店外へ出まわることが多くなっている。最近は昼前から列ができている。

聞き取り調査によると、器とグラス・受け皿は特注。食器類は合羽橋や陶器市でよいものを見つけると注文するとのこと。豚もつは芝浦からの仕入れ。焼酎は地元立石から仕入れている。

焼酎は開店当初は品不足だったが、一九四九年（昭和二四）、五〇年（昭和二五）頃から出まわったとのこと。その焼酎に蜂ぶどう酒を加え、飲みやすくしたのが先代。その後、一九五五年（昭和三〇年）からいまの梅割が登場したという。梅割のエキスは内緒であるが、焼酎を使った下町ハイボールが流行る前の姿をいまにとどめていることを指摘しておきたい。仕込みは午前十一時から始めている。

つぎに、ここで使用されている器類について紹介したい。次頁の図の1は、十二面にカッティグされた焼酎のグラス。梅エキスの淡い褐色と先に注がれる焼酎とがまじり合い、面とりされたガラスを通して裸電球の柔らかい光が差し込み、郷愁を誘う彩りを放ってなんともたまらない。

2は、1のグラスの受け皿。ガラス製で、明瞭な高台はつくり出されていないが、少し上げ底気味になっている。底部から口縁部へは外反気味に立ち上がり、口縁端部は内側に玉縁状に折り返されている。

ふだんは1と2を組み合わせた形で使われており、組み合わせた高さは一〇・七センチとなる。このグラスになみなみと焼酎がつがれ、受け皿まで潤すさまは至福の極みである。

3・4は、焼き物と刺しなどが盛られる磁器製の皿。いずれも白地であるが、3の内面には型作りによる浮文が配されている。口縁付近には帯状に六分割した草花を基調とした紋様を施し、青色を付している。中心にも青色に丸く色付けされたところがあり、

「宇ち多」の器

1. 高さ10.1cm、底径4.4cm、口径5.8cm
2. 高さ2.5cm、底径5.0cm、口径9.0cm
3. 高さ2.7cm、底径8.0cm、口径16.0cm
4. 高さ2.8cm、底径7.4cm、口径13.6cm

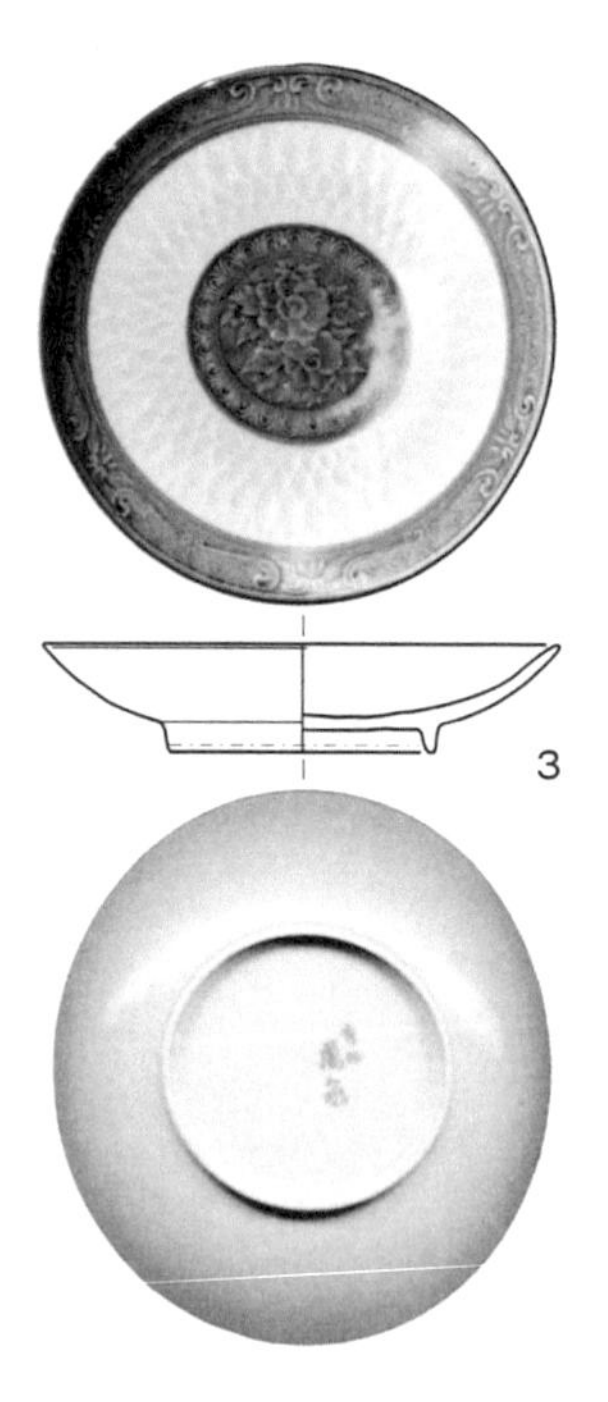

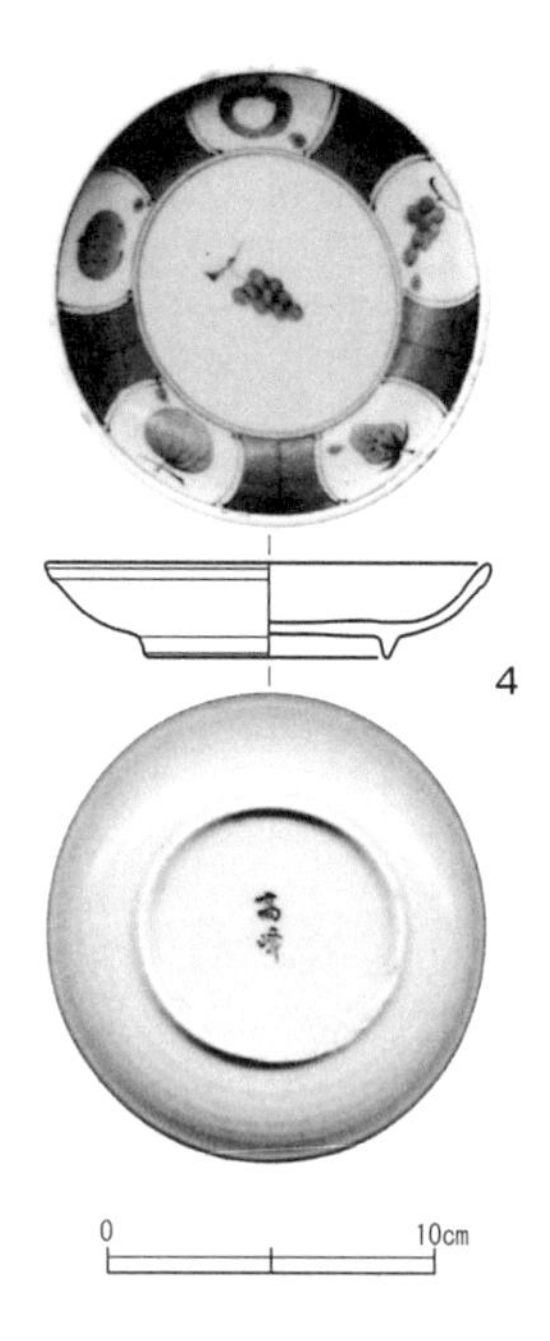

帯状の弧線をめぐらせ、その中央に花をあしらっている。青色に配色された内面中央と口縁の帯状のところの間にある白地には網目の紋様が施されている。高台をもち、高台内には青色で「有田 萬家」と書かれている。底部から口縁部にかけて内湾気味に立ち上がる。

調査時は、本皿を含め四種類の皿が使われていた。4は、内面の体部に青色で五単位の区画を配し、イチゴ、ブドウ、リンゴ、メロン、ミカンと思われる果物をあしらっている。内面の底部にも青色でブドウを描いている。高台をもち、高台内には青色で「高峰」と書かれている。底部から口縁部にかけて内湾気味に立ち上がり、口縁端部は外側に釉溜りができて玉縁状になっている。4は一人前用、3は二人前用として使っている。「宇ち多」さんをはじめ立石のもつ焼き屋さんに入ると、郷愁に満たされ私は癒やされる。小さい頃は、外からではあるが、買い物の時に店の前を通るたびに、店の中を覗くでもなしに見て、もつ煮込みの独特の匂いをいつも感じていた。見た目も匂いも私にとっては、立石での買い物の日常的な風景であった。酒を覚え、店に入って飲むようになっても、それほど特別なことではなく、楽しんでいる。

それはそれとして、私が就職してから母親と「宇ち多」さんへ入ったことがある。さ

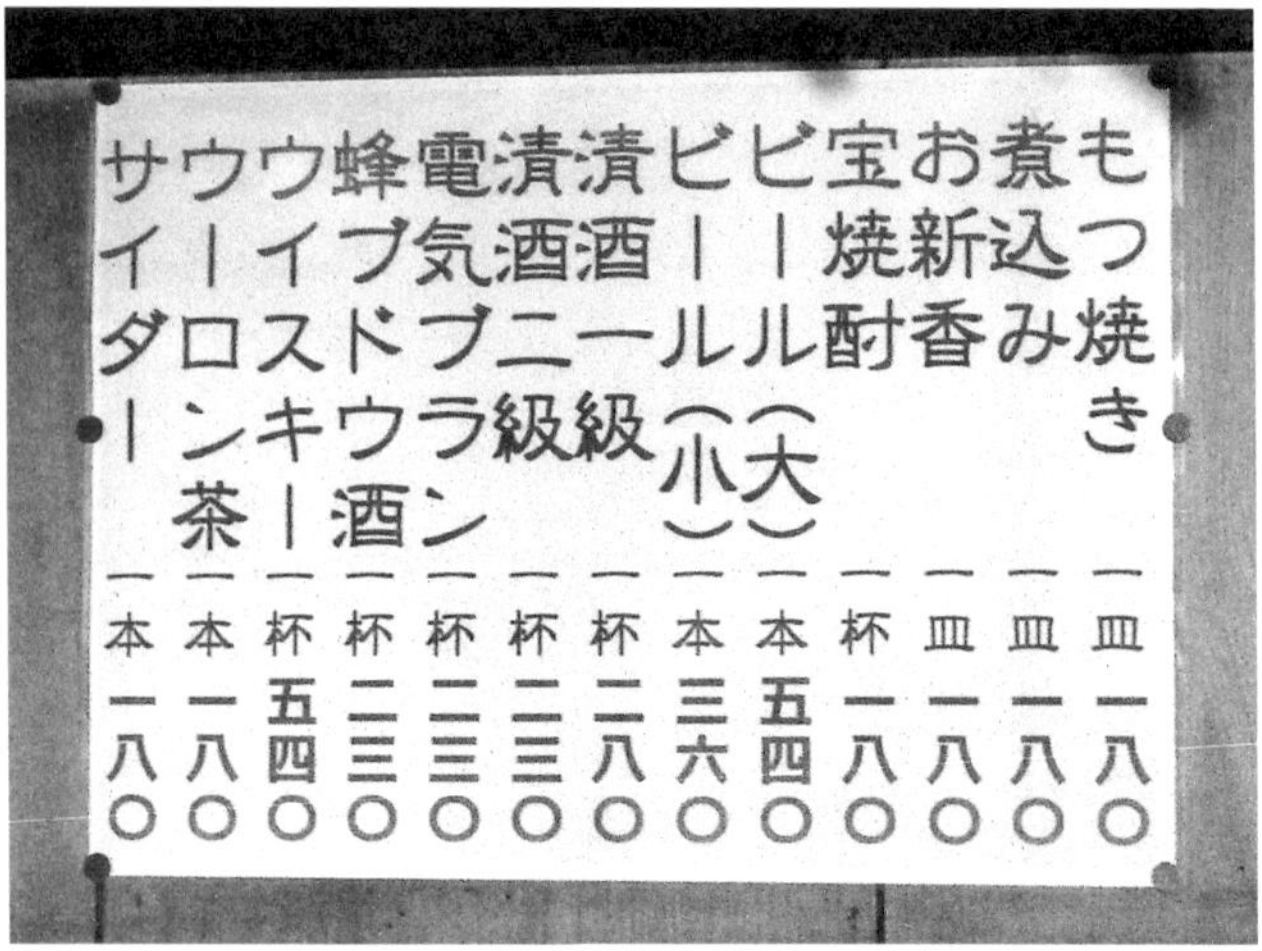
もつ焼き 一皿 一八〇
煮込み 一皿 一八〇
お新香 一皿 一八〇
宝焼酎 一杯 一八〇
ビール（大） 一本 五四〇
ビール（小） 一本 三六〇
清酒一級 一杯 二八〇
清酒二級 一杯 二三〇
電気ブラン 一杯 二三〇
蜂ブドウ酒 一杯 二三〇
ウイスキー 一杯 五四〇
ウーロン茶 一本 一八〇
サイダー 一本 一八〇

「宇ち多」の品書き。消費税アップ前のもので、いまは「もつ焼き一皿200円」。それでも安い！（2009年撮影）

HACHI
Denki Bran
KIRIN LEMON

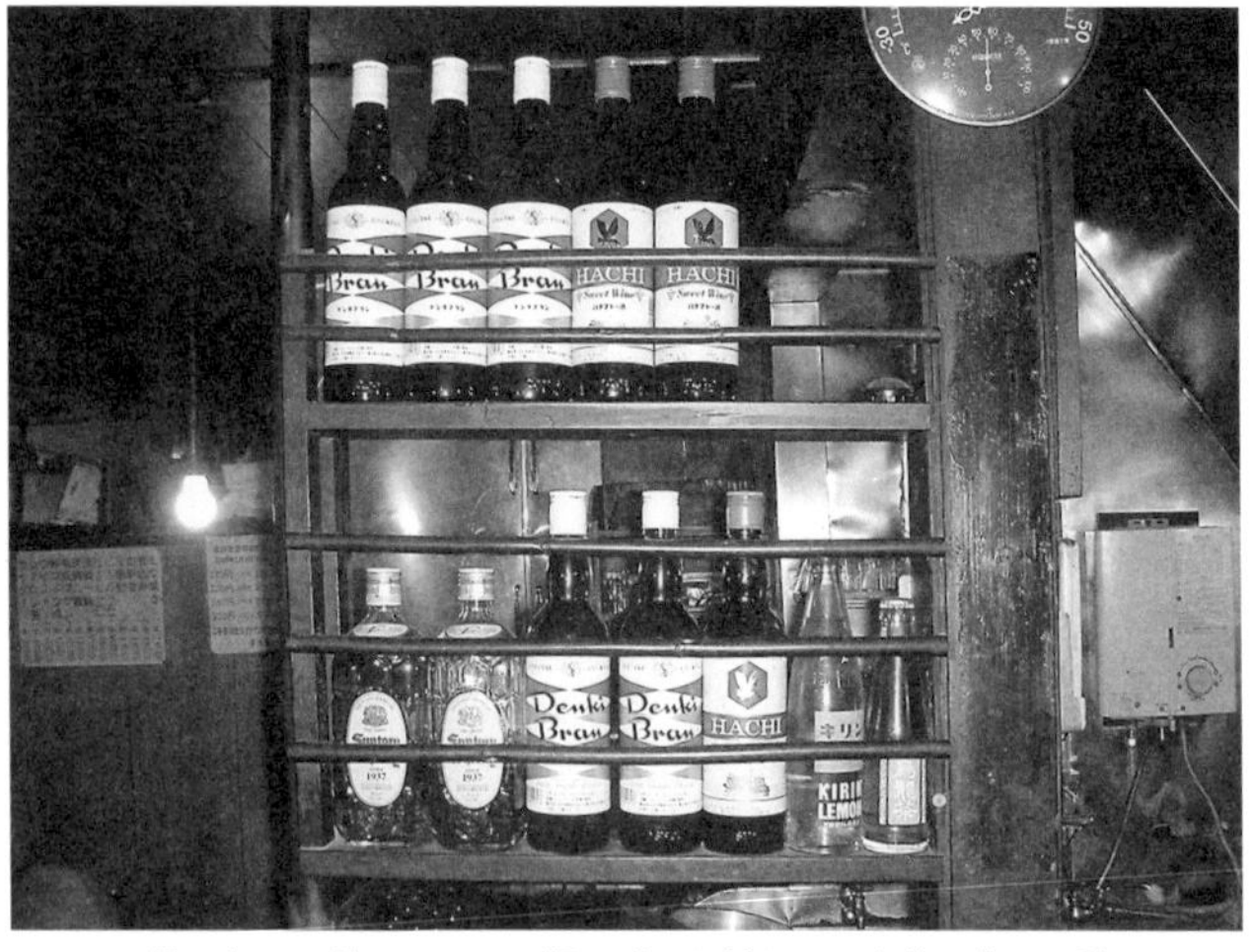

棚にならんだアルコール類。ブドウ割もおつな飲み物。お試しあれ！（2009年撮影）

すがに母はビールの小瓶であったが、なぜ父が一緒ではなかったのであろうか。もしかしたら忘れているだけで、両親と入ったのであろうか。母と「宇ち多」さんのテーブルでもつ焼きをツマミに飲んでいた場面だけ覚えている。

母が亡くなってから、父と何回か飲んだことがあるが、「宇ち多」さんでは飲んでいない。なぜ行かなかったのだろう。いまとなっては残念でならない。二人が結婚して立石で暮らしはじめた頃の話を梅割のグラスを傾けながら聞きたかった。

みつわ

場所：立石一丁目一八番　一九五三年（昭和二八）創業

立石駅から出ると「うちだ」の斜め奥に位置している店で、一九五三年（昭和二八）創業、元はバーだったという。僕らの間では、飲みに誘う時や待ち合わせの時に「共同トイレに近い方の店」として共通認識されている。

店の平面は長方形で、間口は東側五間半で奥行き一間半、天井高二・五メートル、店の出入口は半間となっている。店の床面積は約二六平方メートルで、収容客数は三十六人程度（テーブル二十席、奥座敷八席、店内カウンター三席、店外カウンター五席）。奥座敷があるのがこの店の特徴といえる。

店は、厨房スペースに男女一名ずつ、接客に女性一名の都合三名で賄っている。厨房の女性は焼き専門で、焼き台は六四センチのものが二台で、一台十二、三本焼ける。右側の一台はうなぎを焼く時に専用に使っているという。厨房の男性は、焼き以外の料理の盛りつけとボールの提供、そして洗いを担当している。

ボールはあらかじめ氷と焼酎が注がれたグラスがいくつも用意されており、注文が来ると炭酸水を入れて提供される。レモン風味のさっぱりとしたハイボールが特徴で、煮込みは定番。レモンエキスはグラスに別に入っていて、頼まないと出てこない。

接客の女性は、一人で客の注文から提供までおこない、入店待ちの列ができるとその差配などもしている。「宇ち多」さんでは、三十人強の接客を三人でおこなっているので、業務内容が必ずしも同一ではないが、いかに「みつわ」さんの接客担当の女性が働き者なのかがわかる。

もつ料理は、焼き物のカシラの赤身は肉塊が大きく、塩焼きが旨い。煮込みやもつの刺しもいけるが、もつ焼き屋さんなのに海鮮の刺身などを置いているところがミソ。若い時はあまり頼まなかったが、最近ではここぞとばかり、もつ焼きよりも先に頼んでし

左頁／「みつわ」の店先。外のカウンターで一杯（上）、店の中は昭和の佇まいで一杯（下）（上下とも2009年撮影）

まう。その辺の居酒屋さんで出される刺身よりもうまいところが憎い。それとうなぎのくりから焼き（串に刺して焼くもの）があるのも、この店ならではである。

聞き取り調査によると、器の仕入れ先は、ハイボールのグラスは酒屋さんからで、食器類は合羽橋とのこと。豚もつは芝浦から仕入れ、野菜類は立石、煮込みの豆腐も立石。ハイボールの焼酎は江東区深川の酒屋さんからで、氷は立石。ハイボールにつきもののエキスは、立石で仕入れたレモンと市販のレモンエキスを混ぜているとのことであるがくわしくは内緒。本格的な仕込みは午後からおこなっているという。

器類を紹介すると、次頁の1は、ボールのグラス。無色透明で、底部から口縁部にかけて開き気味に直線的に立ち上がる形状である。底部に製作時の刻印があり、外面の底部から六センチの高さに焼酎の分量を示す赤い星のマークが付されている。

2は、煮込みなどを入れる鉢。磁器製で、全体に白色をしている。底部には高台を有し、底部から腰へ張るように立ち上がり、体部中ほどですぼまり、さらに口縁部にかけて開きながら立ち上がる。内面から口縁部にかけて時計まわりに波打つデザインとなっている。

3は、焼き物やもつ刺しを盛りつける磁器製の皿。竹とかで編んだお絞りを置く台を

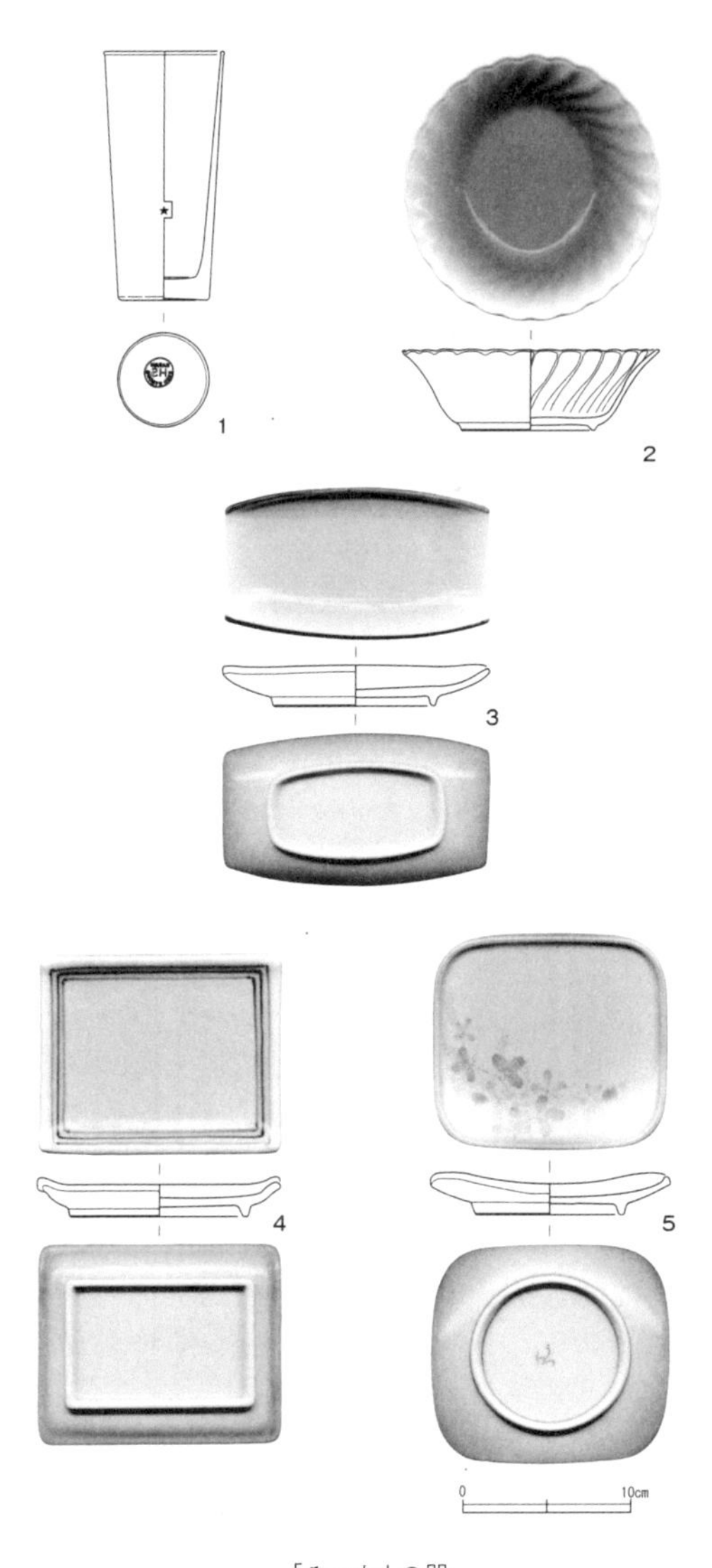

「みつわ」の器

1. 高さ15.2cm、底径5.8cm、口径7.6cm

2. 高さ5.0cm、底径9.4cm、口径16.2cm

3. 底部は長軸10.2cm、高さ2.5cm、体部は長辺15.0cm、短辺の膨らみのあるところで9.4cm

4. 底部は長軸10.8cm、高さ2.3cm、体部は長辺14.8cm、短辺11.6cm

5. 底部は長軸9.8cm、体部は長辺14.5cm、短辺2.5cm

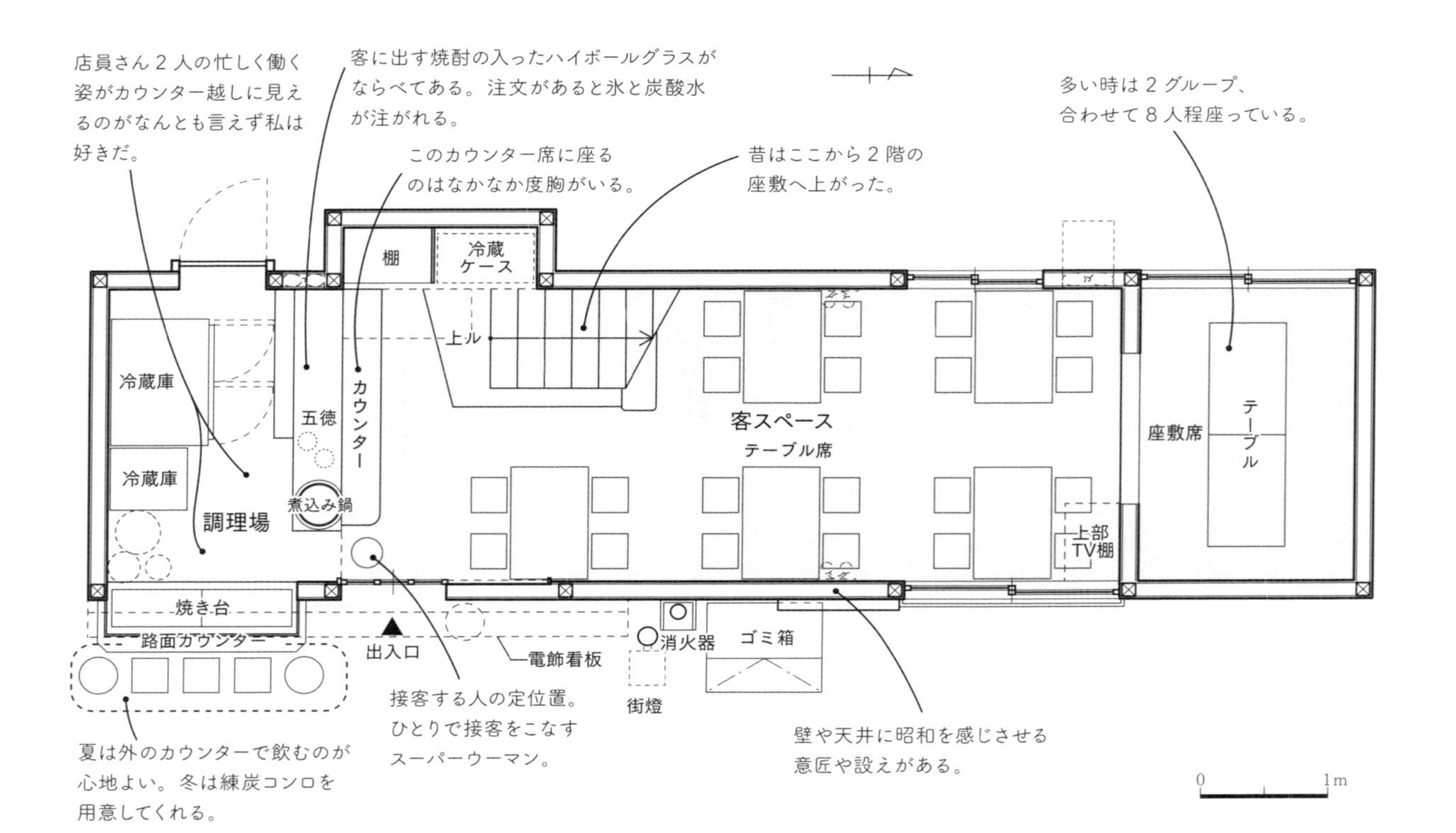
店員さん２人の忙しく働く姿がカウンター越しに見えるのがなんとも言えず私は好きだ。
客に出す焼酎の入ったハイボールグラスがならべてある。注文があると氷と炭酸水が注がれる。
このカウンター席に座るのはなかなか度胸がいる。
昔はここから２階の座敷へ上がった。
多い時は２グループ、合わせて８人程座っている。
棚
冷蔵ケース
上ル
冷蔵庫
冷蔵庫
調理場
五徳
煮込み鍋
カウンター
客スペース
テーブル席
座敷席
テーブル
上部TV棚
焼き台
路面カウンター
出入口
電飾看板
消火器
ゴミ箱
街燈
夏は外のカウンターで飲むのが心地よい。冬は練炭コンロを用意してくれる。
接客する人の定位置。ひとりで接客をこなすスーパーウーマン。
壁や天井に昭和を感じさせる意匠や設えがある。
0
1m

「みつわ」の平面図

模した形状で、長辺は中央部がふくらみ、短辺は中央部がすぼまる。白地で長辺のふちのところに青の色付けがされている。底部には高台をもち、口縁部へは丸みをもって立ち上がる。

4・5は、海鮮物や漬物類を盛る白地の磁器製の皿。形状が異なる物があるので二点示した。4は長方形を呈し、5は隅丸の正方形に近い皿で、双方とも四隅が出っ張る形状である。4は内面の体部に中央に青色をはさんで上下に一本ずつ明るい茶色の線が描

「みつわ」の焼き台（2017年撮影）

店内のカウンター周辺（2017年撮影）

奥さんと娘さん（2021年撮影）

かれている。5は縁を薄い青色で色付けし、内面に縁と同じような薄い青色で草花をあしらっており、花のところに淡い朱や黄色でアクセントをつけている。

4・5とも高台があり、5の高台の立ち際に青色の線がめぐり、高台内には青色で「うつわ」と記されている。

記憶しているかぎり、はじめて入った立石のもつ焼き屋さんは、この「みつわ」さんだった。まだ手を引かれて歩いていた頃だから、小学生になる前だったと思う。立石仲見世での買い物の帰り、母と一緒に入り、私はガツ刺しを食べた記憶がある。

いまでこそ女性の客はめずらしくないが、昭和四〇年代のはじめはいかつい労働者がその日の疲れを癒やすためにグラスを傾けていた。とても女性が、それも子ども連れで入れるような雰囲気ではなかったはずだ。母は、息子に栄養のあるものを食べさようと思ったのであろう。結婚して子どもを授かってはじめてわかる親心というものだ。「みつわ」さんに行くたびに、母親への感謝の気持ちが胸に去来する。

役所に勤めはじめた頃は土曜日がまだ半日仕事だったので、午後は職場の先輩方とよく飲みに来た。いまはやっていないが二階にも上がれて、十人以上は平気で入れた。靴は二階へ持ち込んで、ベランダのところにならべ置いた。定年間近となって、とても懐かしい酒飲みの風景として脳裏に残っている。

そういえば、昔は店に入るとご主人の「ヘイ！らっしゃい」と粋な掛け声で出迎えられ、こちらも「ボール」と答えながら席に着いていた。ご主人が亡くなり、「ヘイ！らっしゃい」という掛け声が仲見世にとどろかないのが寂しいが、奥さんと息子さん、娘さんが店を切り盛りしている姿に「僕もがんばらねば」という気持ちになる。

江戸っ子

場所：立石七丁目一番　一九七三年（昭和四八）創業

立石駅の北側、バス通りに面している店。駅からだと「鳥房」脇を行って「呑んべ横丁」の看板をくぐった先にある。亀有駅北口にある亀有の関所「江戸っ子」が本店で、暖簾分けで一九七三年（昭和四八）から立石の関所を開いたという。

ここはママさんの存在感が大きい。巷では「イメルダママさんのいる店」という人もいるが、福よかでママさんの顔を見てグラスをかたむけるとホッとする、「江戸っ子」さんにはなくてはならない存在だ。また、それを支えている焼き手の人、注文を聞き、料理を出す人もなかなかのつわもの揃いだった。

「江戸っ子」の平面図

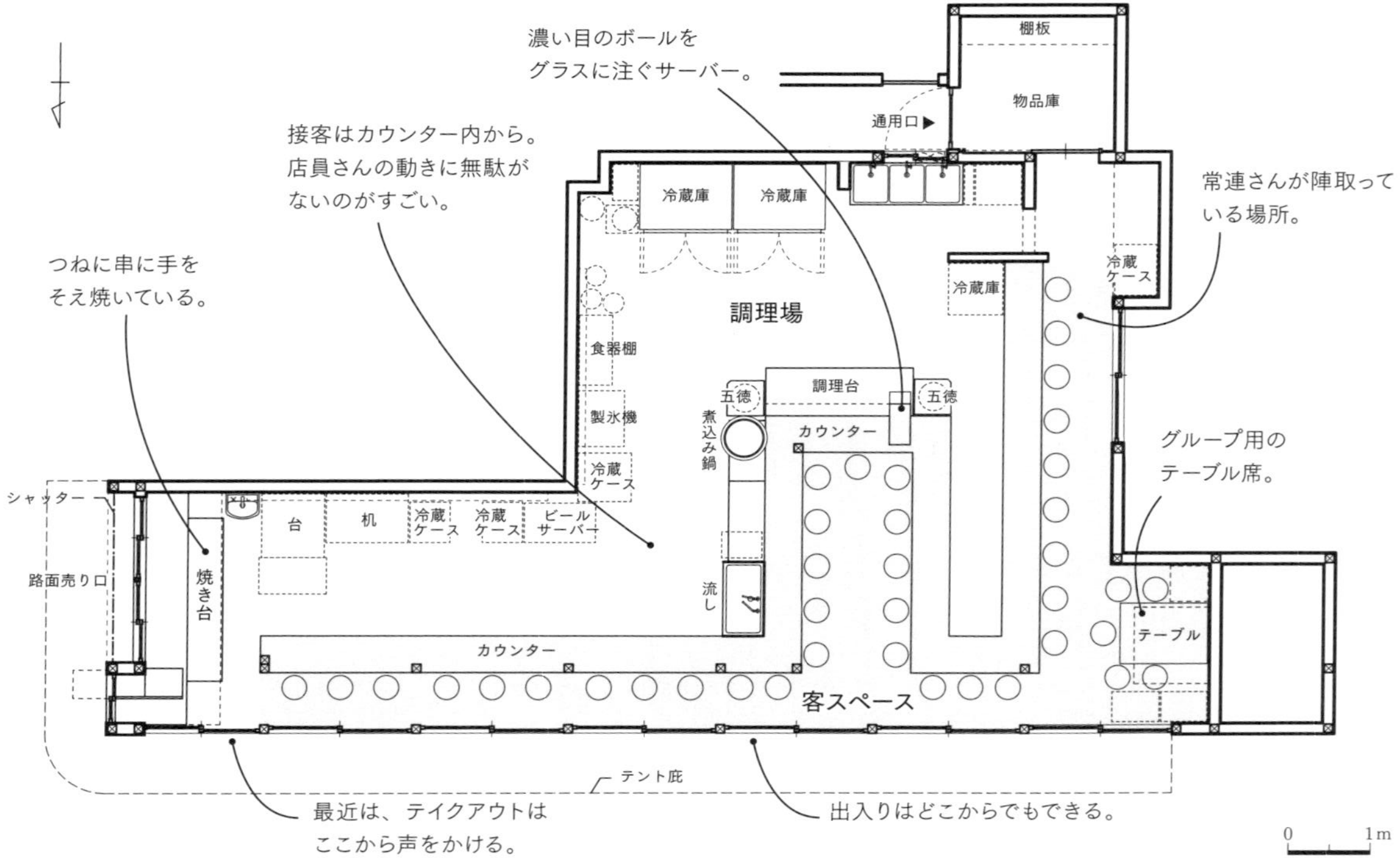

濃い目のボールを
グラスに注ぐサーバー。
接客はカウンター内から。
店員さんの動きに無駄が
ないのがすごい。
つねに串に手を
そえ焼いている。
常連さんが陣取って
いる場所。
グループ用の
テーブル席。
最近は、テイクアウトは
ここから声をかける。
出入りはどこからでもできる。
棚板
物品庫
通用口▶
冷蔵庫
冷蔵庫
調理場
食器棚
製氷機
冷蔵ケース
調理台
五徳
五徳
煮込み鍋
カウンター
冷蔵庫
冷蔵ケース
シャッター
路面売り口
焼き台
台
机
冷蔵ケース
冷蔵ケース
ビールサーバー
流し
カウンター
客スペース
テーブル
テント庇
0
1m

店の平面は凸形を呈し、間口は西側七間強、東側二間弱で、南北の奥行きは四間を測り、天井高二・五メートルである。店の床面積は約六六平方メートルで、収容客数は三十九人程度（テーブル五席、カウンター三十四席）。ママさんのほか焼専門の男性一名、接客担当四名の都合六名でやり繰りしている。「江戸っ子」さんの接客は、カウンター内を行き来するだけで客スペースには入り込まない。

複数人で飲む時は、この店が狙い目だった。いまでは行列が出来ていて、一人でも入

もつ煮込み鍋。具材の配列がすばらしい（2009年撮影）

焼き台の周辺。すぐ提供できるようにあらかじめ火を入れて下ごしらえしてある（2009年撮影）

「江戸っ子」のおかみさん（2009年撮影）

焼
江戸っ子

夕暮れ時の「江戸っ子」の賑わい（2009年）

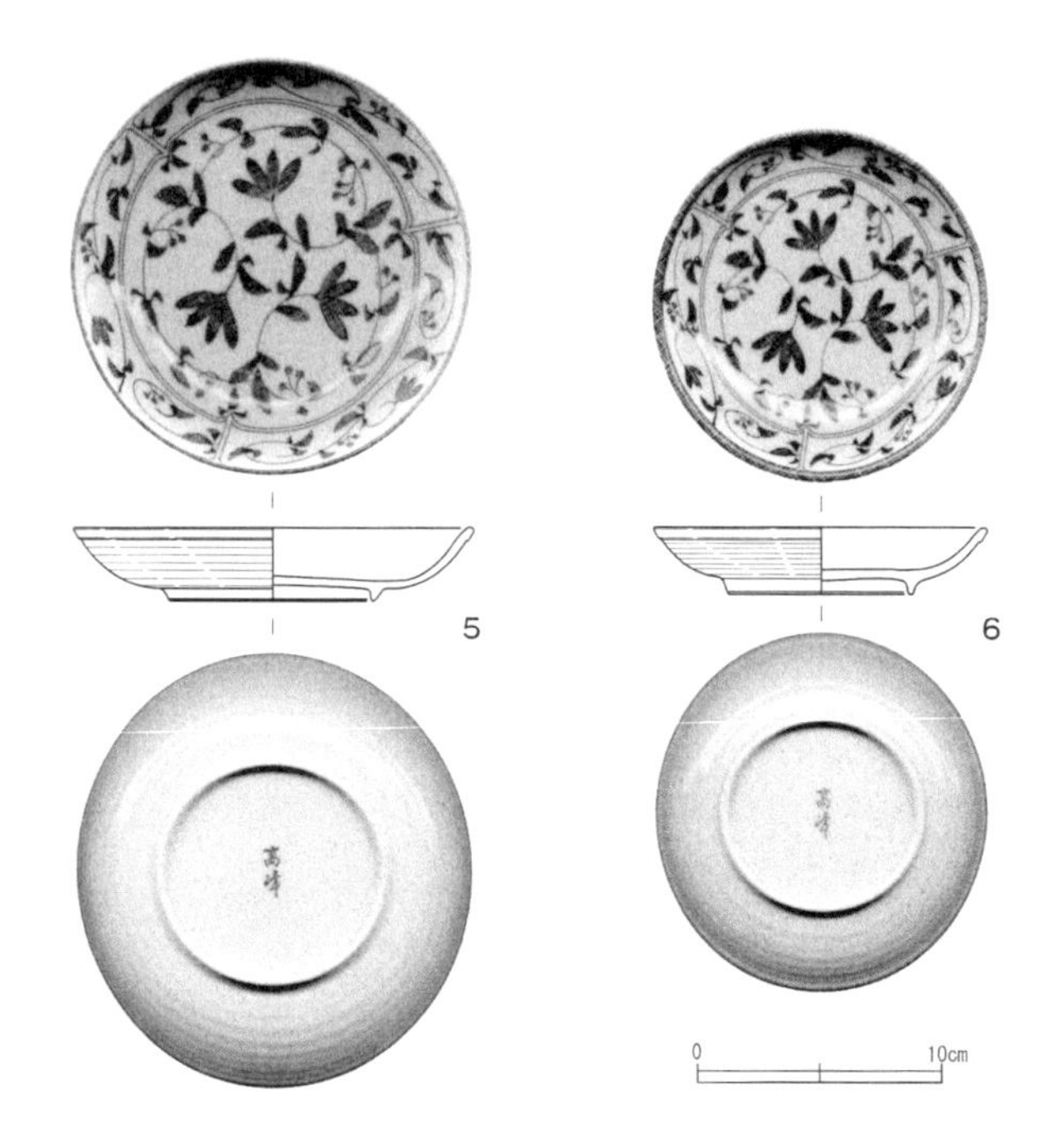

「江戸っ子」の器
1：底径4.0cm、高さ17.2cm、口径7.0cm
2：底径6.8cm、高さ6.7cm、口径16.4cm
3：底径7.0cm、高さ5.4cm、口径15.2cm
4：底径9.0cm、高さ3.8cm、口径16.2cm
5：底径8.4cm、高さ3.9cm、口径16.2cm
6：底径7.6cm、高さ2.6cm、口径13.7cm

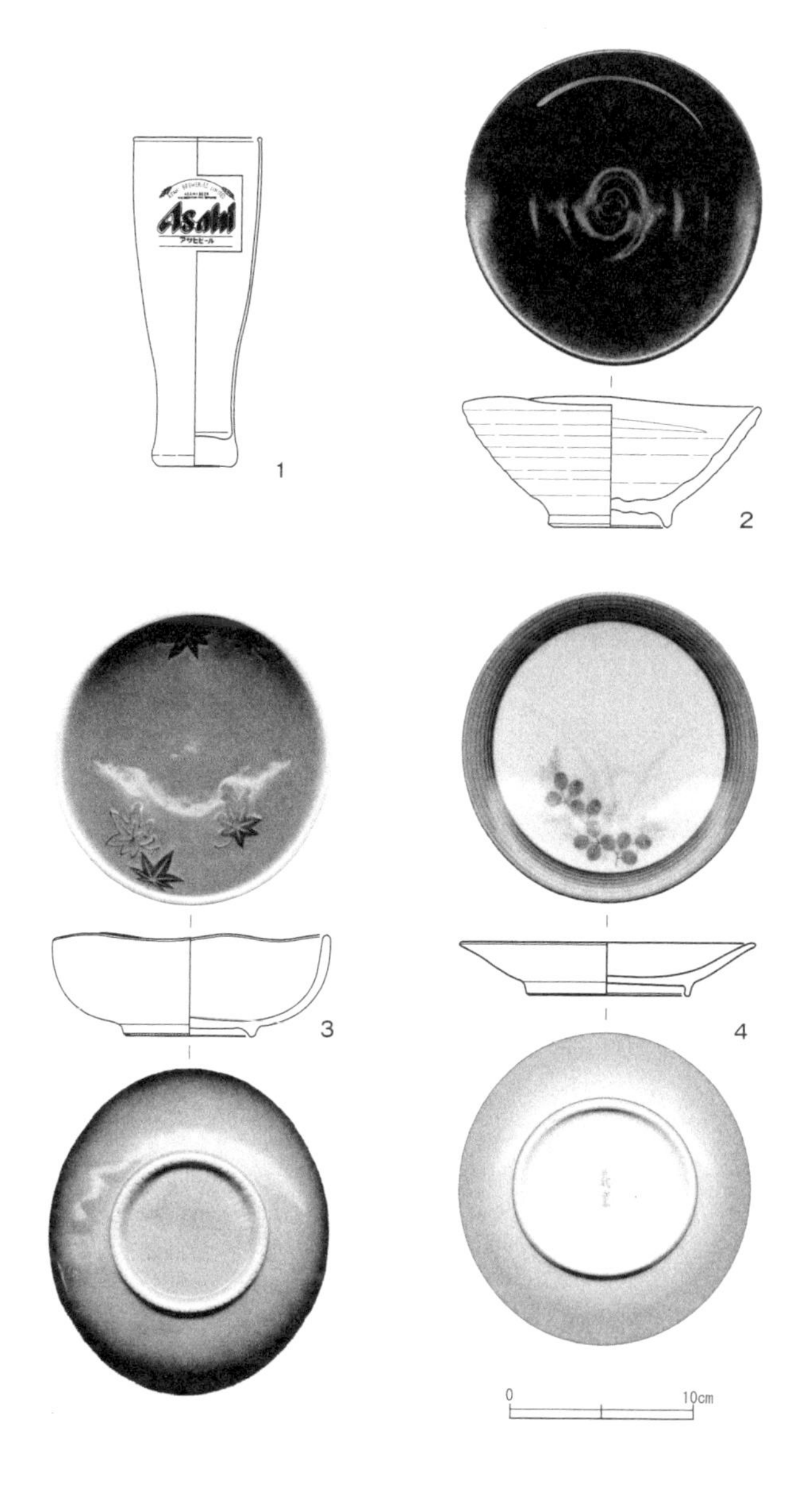
Asahi
アサヒビール
1
2
3
4
0
10cm

れない時が多い。ハイボールはサーバーで提供され、炭酸の効いたレモン風味、焼酎強めで油断していると二杯で酔いがまわってしまい、危ないと感じることもしばしば。煮込みも旨いが、テッポウの辛し焼きがお勧めで、あると必ず頼む。赤身の刺しはほかの店には置いてないと思う。

器類は、前頁の図の1はハイボールのグラスで、無色透明でアサヒビールのグラスを転用している。底部から三分の一程度まで少しすぼまりを見せながら口縁部にかけて緩やかに膨らみをもち、口縁部端部は若干内側に内傾する形状を呈している。外面に青色でアサヒビールのロゴが入っている。

2・3は煮込みなどを盛る陶器製の鉢。2は全体に黒い釉がかけられ、内外面ともロクロ稜を明瞭に残し、内側に横位に白で一条の線が付されている。高台は外側に開くようにつけられ、底部から口縁部へは体部中央でやや膨らむが、直線的に開く。3は全体に緑色の釉がかけられたもので、口唇部は緩やかに波打ち、内面には楓様の葉模様が陰陽にあしらわれている。

4は焼き物の磁器製の白地に文様をあしらった皿。内面に青色に濃淡を付けて草花の文様を描き、縁には青色の同心円を幾重にも重ねている。高台をもち、高台の外側の付け根に青色の線がめぐり、高台内に「花窯」と青色で書かれている。底部から直線的に開き口縁部の端が外反する。

5・6は最近新調した磁器製の皿で、5は焼き物用で、6は刺しなどを盛り付けるもの。双方とも白地で内面に青色の唐草様の模様が全体にあしらわれるが、内面体部には三つの区画を設け施文している。高台をもち、高台内に青色で「高峰」と書かれている。大小のセットとして作られた皿である。

聞き取り調査によると、食器類は合羽橋、ハイボールのグラスは酒屋さんとのこと。豚もつは千葉県松戸の卸しから仕入れ、酒の仕入れは北区王子からとのことで、本店との関係があるのではないだろうか。野菜や豆腐は地元の立石。レモンエキスは聞きそびれてしまった。仕込みは一部八時過ぎから始めるとのことである。

数年前、「立石江戸っ子の乱」があって、店の人が一部辞められて、新たに青砥駅近くの二階に「小江戸」を構えた。くわしい事情は知らないが、両店ともとても繁昌している。もつ焼きファンとしては、「雨降って地固まる」と願いたい。

鳥房（唐揚げ店）

場所：立石七丁目一番　創業は戦前

もつ焼きとならんで立石の名物として知れわたっているのが、「鳥房」さんの唐揚げである。もつ焼き屋さんではないが、立石の夜の飲食文化を考える素材として図化しておいたので、ここで紹介しておきたい。

創業した年は不明ながら、戦前から駅近くの別の場所でやっていたという。店は細長い長方形で、表通りに鶏肉屋を構え、その肉屋スペースに厨房があり、鶏の唐揚げ調理をしている。その後ろが飲食スペースとなっており、さらにトイレが併設されているが、使う場合は一度外に出なければならない。

鶏肉店の間口は二間で、路地に面した間口は八間半、そのうち飲食スペース間口は三間半あり、出入口は一間となっている。収容客数は、二十七人程度（座敷二十一席、カウンター六席）で、店の床面積は約三四平方メートルである。鶏肉屋さんに男二名、女一名の都合三名いて、そのうちの一名が揚げを専門に担当し、他の二名は肉をさばいたり、お客さんの対応をしている。飲食スペースでは二名の女性が接客している。

鳥房
味自慢
房
お客様へ、
のんだ人(酔った人)の
入店は、お断り
申し上げます。
店主
入店の時は
消毒を
お願い致します
鳥房
（2020年撮影）

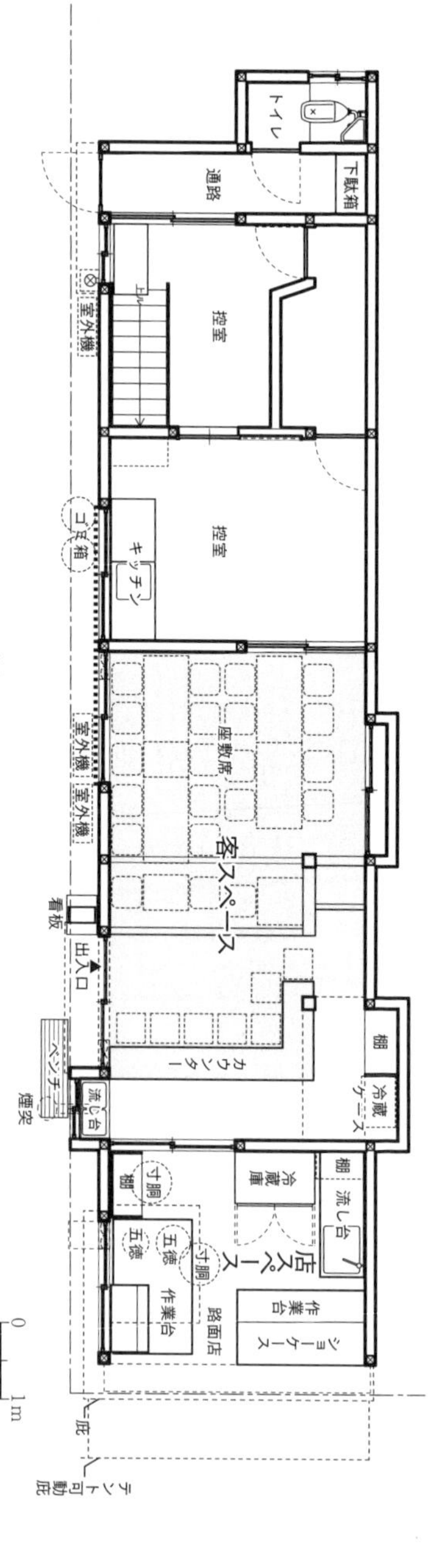

「鳥房」の平面図

立石に住んでいた頃、二軒ほど離れたところに「鳥房」さんのご家族が住んでいて、そこのお姉さんが小学生の時の登校の班長さんだったこともあり、ご近所付き合いをしていた。

立石に暮らしていた人は、少なくとも昭和四〇年代から昭和が終わる頃まで、クリスマスはもちろんのこと誕生日会やお祝いの時などに、「鳥房」さんの鶏半身の唐揚げに舌鼓を打ったのではないだろうか。

いまでも覚えているのは、「鳥房」さんの鶏半身の唐揚げをその日の夕餉にする場合は、夕方、立石仲見世やヨーカ堂で買い物をする前にまず立ち寄って、唐揚げを注文するのである。店も客も馴れたもので、たとえば店の人が「40」「45」「48」などと言うと、客は「45」を三つとか答える。顔見知りだったら、名前もいわずそのまま踏切を越えて買い物に向かう。

買い物を終えて、再び「鳥房」に寄ると、もう唐揚げができあがっている。唐揚げは

「鳥房」の包装紙

房
7025
☎3697-7025
商品券取扱店

（2009年撮影）

包装紙に包まれ、紐で手提げ用の輪っか付の十文字に縛られていた。包み越しに暖かさが伝わり、香ばしい鶏の旨みが染み込んだ油の香りを嗅ぎながら家で食べるのを楽しみに帰るのである。

「40」「45」「48」とは、その日の鶏の唐揚げの値段で、「40」とは四百円のことである。大きさによって値段がちがっていたようだ。持ち帰った鶏の唐揚げは、暖かい内に食べるのが一番好いのだが、冷めてしまった場合は、蒸し器で温め直しても美味しく食べられた。

お酒を飲むようになって店でビールを頼んで（いまは知らないが当時はビールと日本酒しかなかった）食べるようになったが、しばらくしてそれまでいなかった女性の賄いさんが、半身の唐揚げのほぐし方はこうするのだと、私が頼んでもいないのに教えてくるようになった。「私は、あなたがこの店に来る前からここの唐揚げを親しみ食べているので、かまわないでほしい」と言ったことがあったが、その時はおとなしくなったのだが、また行くと食べ方の指南をしてくる。さすがにお店で食べる気がしなくなってしまった。最近では、客をしかるように講釈するようになり、それが名物化しているという。そうそう、鶏の半身の唐揚げは絶品だが、店で食べる鶏のタタキの味も忘れられない。

店が醸しだす情緒というか雰囲気を構成する要素

以上、「宇ち多」「みつわ」「江戸っ子」さん、それに「鳥房」さんの四軒の記録を見てきた。つぎに店が醸しだすなんともいえない情緒というか雰囲気を構成する要素について考えてみたい。

飲み物やもつ料理の美味さ、店構え、店の人の応対などが店の雰囲気を構成する要素であるが、ここまで触れていないものも店の雰囲気を醸しだす要素として、また店の特徴を示すものとして欠かせないものがある。「江戸っ子」「みつわ」「宇ち多」さんの三店舗を例に、そのいくつかを紹介してみよう。

ここではまず椅子について注目してみたい。

「江戸っ子」さんは、ビニール張りの四本足の丸椅子。ひと昔前は定食屋定番のグリンピース色のものだったと思うが、張り替えたのであろうか、最近では木目調ものに替わっている。カウンターが主体の店なので、椅子がしっかりとしたつくりで重たいと固定化してしまい、状況に似合わせた機動性が損なわれる。この軽量な椅子によって混み具合に合わせて客自身が簡単に移動して詰めることが可能となる。これも店の賑わいや佇まい、「江戸っ子」さんならではの雰囲気を醸しだす要素として看過してはいけない。

「みつわ」さんは、歴史を感じさせる木組みの四角い椅子が主体で、木組みの丸椅子もある。テーブルひとつに四角い椅子四脚が基本形で、五人でテーブルに座る時は、通路側に一脚設けてくれる時もある。焼き台前の外のカウンターは、四角い椅子が四脚程度置かれているのが基本だが、人数によって丸椅子を加えたりする。丸椅子は状況に合わせて補う役割が強いようである。

「宇ち多」さんも、使い込まれた歴史を感じさせる四角い木組みの椅子と木製の長椅子である。カウンター形式にこの椅子なので、「江戸っ子」や「みつわ」さんのように椅子が補充されたりする動きはなく、基本は固定型のレイアウトとなる。

しかし、椅子の動きはないものの、混み具合に合わせて長い椅子で少し詰めてもらうなどの動きはある。混み合っている時には、立石通り側のコの字状の長椅子の屈曲部にも座ることがある。もっともこの場合は、見知らぬ人ではなく顔見知りかグループの人を座らせる。

「宇ち多」さんの椅子には、店の佇まいに合わせた工夫も見られ、興味深い。仲見世通路側の煮込み鍋前のカウンターの椅子は、床が通路にむかって傾斜しているので、その傾斜に合わせて足の長さを調節してある。具体的には、店の中と通路側の差分を角材で補っている。補われた角材も、椅子本体と色調や劣化具合が同じで、後付け感がなく、

「江戸っ子」のカウンターと丸椅子（2009年撮影）

「宇ち多」の折りたたみカウンターと傾斜にあわせて調節した椅子（2009年撮影）

一体感が漂っているところがすごいと思う。

店の雰囲気という点で、椅子との関係性で重要だと思うのは、椅子の高さであろう。個人差は当然あるが、座った時の脚の頭の並んだおよそのレベルと店の天井高との間に生まれる空間が、店の平面的な広がりとの兼ね合いで、その店の雰囲気を醸しだす空間

「江戸っ子」のお通しキャベツ
（2009年撮影）

「みつわ」の外のカウンターの上に置いてある調味料
（2009年撮影）

的要素となっている。この点は後でも触れたい。

　蛇足ではあるが、この所のテーブルが折りたたみ式になっており、店を閉める時は折りたたみ、店を開ける時は開くという仕かけになっている。ここに「宇ち多」さんの源泉となる屋台のルジメント（痕跡器官）が認められ、屋台時代の記憶が継承されている。

　ついでと言ってはなんだが、「宇ち多」さんの一昔前の床はまったくちがう風景だった。いまは店内禁煙となったので、煙草の吸い殻が散乱していないのだ。近頃の煙草は高級品といえるほど高値となり、贅沢な嗜好品の部類になっている。職人の煙草「いこい」、少し遅れて労働者の煙草となった「ハイライト」などが愛飲されていたのが懐かしい。

「宇ち多」さんのテーブルは、皿とグラス、それとビールやせいぜいチェイサー代わりのサイダーやウーロン茶を置くだけの計算しつくされた洗練されたスペースで、灰皿を置く余裕などなく、灰は床に落とされ、吸い殻も捨てていた。もつ焼きをツマミに焼酎をあおりながら一服というこの店では日常的な風景がなくなった。時代の変化を感じさせる。

もつ焼き屋さんの特徴をつかむ、もつ料理や飲み物だけではないアイテムにも注目すべき

もつ焼き屋さんの特徴をつかむポイントとして、もつ料理や飲み物だけでなく、他のアイテムにも注目すべきかと思っている。たとえば「江戸っ子」さんでは、立石で唯一キャベツがカウンターに置いてある。これなども店の特徴、他店とのちがいが明確にあらわれている。

もつ料理に加える唐辛子、醤油、酢、ごま油などの調味料のほか、焼酎ハイボールに入れるレモンエキスなどが置いてある。どのようなものが置いてあるのか、そしてどのような組み合わせなのかなどに注目することで、店の特徴や個性というものが見えてくるのではないかと思う。それらをデータ化した上で、グルーピングするとどのような分布なり、まとまりを見せるのかを分析するのが面白いのではないだろうか。

「下町ハイボール」の出され方も興味深い世界である。もつ焼き屋さんだけでなく他の

「おおくぼ」で出してくれたホイスハイボールとビン詰め炭酸水。炭酸水をコップにつぐとちょうど一杯になった（2014年撮影）

サーバーで調合したハイボールを提供（柴又「のんき」、2020年撮影）

立石の「ゑびす屋食堂」では、焼酎・炭酸水・グラス（氷・レモン入り）を別々に出してくれ、自分で配合して飲む（2010年撮影）

「みつわ」で勘定前のテーブルの上。グラスを重ね飲んだ量がわかる(2009年撮影)

王冠の数で勘定がわかる「大渕」(2011年撮影)

「ブーちゃん」の注文メモ(2013年撮影)

店（店の名は六二頁の図参照）も含め基本的なパターンは、大きく二つに区分される。
①調合してできあがったものを提供する。
②焼酎の入ったグラスとビンの炭酸水を別々に出して、飲み手が自分で調合して飲む。その際、焼酎にエキスを混ぜてあるところと、エキスを別に出しているところがある。
①の場合、「みつわ」さんのように店側でビン詰めの炭酸水を注いで調合してくるところと、「江戸っ子」や立石の「あおば」さんのようにサーバーのノブをひねって注いでくれる店があるが、後者がかなり増えてきている。「みつわ」さんでは、ピュアな味でよい人はそのまま呑むが、少々味を付けたい人はレモンエキスを頼むと、エキスを入れたグラスが来るので、自分の好みに調合してから飲む。
②の場合は、焼酎にエキスを混ぜてあるのは立石の「おおくぼ」さんが代表格だったが、二〇一九年に店を閉じてしまった。エキスも別にして出しているのは「ゑびす屋食堂」さんがあり、マドラーも付けてくれる。「下町ハイボール」の出し方もバリエーションがあって面白い。
ここで忘れてはいけないことは、職人芸ともいうべき目分量の見きわめのすごさである。「おおくぼ」さんはホイスハイボールを出してくれる店で、ホイスの原液が入った

グラスと、ビン詰めの炭酸水を出してくれた。計量カップを使わず目分量でホイスを入れたグラスに、炭酸水を八分目ほど入れると、残りのグラスのスペースとビンに残っている炭酸水を見比べて、入りきるのだろうかと心配になり、注ぐペースが慎重になる。九分目を過ぎ無理そうなと思いながら垂らすように炭酸水を入れていくと、見事に入りきるのである。

表面張力をも計算しつくした葛飾の近代無形遺産として登録指定したいほどの職人技で、いつも感心させられた。その妙技は見られなくなってしまったが、「おおくぼ」さんの女将さんの妹さんの店が青砥駅前にある「こまどり」で、そこで妹さんの息子さん若夫婦が妙技を継承しており、堪能しながら飲むことができる。

それとお勘定の計算方法も店によって異なり、興味深い。「宇ち多」さんは、料理は回転寿司と同じ皿の数で（こちらのほうが古いので、同じというと本来は失礼なのであるが、わかりやすい例えとしてお許しいただきたい）、飲み物は梅割などは店側も心得ているが、あえて客に自己申告させて勘定する。「みつわ」さんも、消費税が一〇パーセントになる前までだったと思うが、「宇ち多」形式でグラスも重ねていた。

重なったグラスを見て、「こんだけ飲んだのか、そろそろ帰るとするか」という、抑止力にもなっていた。いまは伝票になっており、昔の癖でグラスや皿を重ねておくと片づけられ、どれほど飲み食いしたのかわからなくなってしまう。しかしそこは立石、勘定をして安さに驚く。

立石では見てないが、金町の「大渕」と「ブーちゃん」さんは、特異な勘定システムだと思う。「大渕」さんは、炭酸水の王冠の数で飲んだ「下町ハイボール」の数がわかるようになっている。「ブーちゃん」さんは、注文すると客のカウンターの内側にチョークで品目を書いていた。勘定だけでなく、このカンターの客が何を注文しているのかも確認でき、一石二鳥だったのであろう。いまは場所を移り、昔通りの勘定システムか確認できないうちに酔ってしまい、確認することを忘れたまま店を出てしまっている。

テーブルの上の風景の一端を紹介したが、店それぞれで面白く、注文した品が出てくる間合いに、観察するのも一興であろう。

レトロとハイカラ

店の概況は紹介してたが、場所と店の規模という面で見ると、「宇ち多」と「みつ

「江戸っ子」のアルコール品書き
（2009年撮影）

わ」さんは、同じ駅南側の立石仲見世というアーケードのある商店街の中にあり、大きくは同じ間取りを共有しているのに対して、「江戸っ子」さんは駅の北側のバス通りに面した立石西町商栄会に属し、店の大きさもちがう。

この立地条件という面からすると、「宇ち多」と「みつわ」さんは、アーケードという覆いのある閉じた空間の中で人の往来もあり、車よりもどちらかというと駅の近くなので、店に入る前や出た時に電車の存在を感じる。一方、「江戸っ子」さんは、商店街にあるが、立石仲見世とくらべると人の往来は少ない。葛飾区役所や青戸と奥戸・新小岩方面を結ぶ幹線道路に面しているので、車の往来が激しい、踏切が長く下りていると渋滞するし、バス停がすぐなので、バスの停車など、店の中に居ても通りの車が目に付く。

店の規模というのも店の雰囲気を構成する主要な要素といえる。店の規模は、平面的な床面積だけではなく、天井高も含めた空間の大きさという三次元的な差異も見逃せない。これには、床面積（x×y）×高さ（z）から導き出される空間という単純なものではなく、ある二つの条件によって微妙に変化する。

条件のひとつは、店の調度のところで紹介した椅子に由来する。椅子に腰掛けた客の頭から天井までの高さが重要なのである。これは混み方によっても影響が出る。客が少なければ、縦方向だけでなく横方向も空間に余裕が出るので、ここでは客席がすべて埋まっている状況を想定して話を進めたい。そして、店の天井と客の頭の間の空間を仮に「頭上空間」と呼んでおこう。

「宇ち多」と「みつわ」さんは、床面積が七〜十坪なので、頭上空間も狭い。どちらかというと「宇ち多」さんのほうが狭いので、より密集した空間となっている。この二軒に対して「江戸っ子」さんは床面積が広いので、広い頭上空間となっている。ただし、たんに床面積の問題ではなく、構造的な問題も潜んでいる。

この頭上空間を演出するのが照明である。照明が加わることによって、その店ならではの雰囲気が醸しだされる。「宇ち多」と「みつわ」さんは、裸電球が放つ柔らかい光が独特の雰囲気を醸しだしており、まるで洞窟の中のような気密さを漂わせている。それに対して「江戸っ子」さんは蛍光灯で明るく照らされている。頭上空間と照明との関係で、店内の色調が異なり、異なった雰囲気をつくりだしているのである。

このちがいをなんと表現したらよいだろうか。「宇ち多」と「みつわ」さんは、オレンジ色の戦後の懐かしい雰囲気が漂っており、「江戸っ子」さんはその二軒にくらべ、明るく高度経済成長期以降のハイカラな感じがある。最近では、「宇ち多」と「みつわ」さんはLEDに換えているが、白い発光ではなく、裸電球ぽい色調のLEDを使っているので、昔ながらの雰囲気が維持されている。

もうひとつの条件は、大きくは調理場と客スペースの割合と接客にある。調理場と客スペースの割合とは、店内の空間利用のことで、店の床面積に対して客のスペースが占める割合は、先に記したように「宇ち多」さんは床面積三三・二四平方メートルのうち約二三・二平方メートル（約七〇パーセント）、「みつわ」さんが二五・九三平方メートルのうち約二〇・三平方メートル（約七八パーセント）、「江戸っ子」さんが六五・六四平方メートルのうち約三四・五平方メートル（約五三パーセント）となっている。ただし、「宇ち多」と「みつわ」さんの店外の椅子の置かれる客スペースは入れていないので、実際はもう少し割合は高くなる。

「宇ち多」と「みつわ」さんは床面積が狭く、「江戸っ子」さんが床面積が広いから、前者は機能的なレイアウトになっていることは容易に察せられる。いま少し店の様子を見ると、「宇ち多」と「みつわ」さんは、客のスペースを行き来して食べ物や飲み物を提供するが、「江戸っ子」さんは客スペースに入り込んで接客することはなく、カウンターの中で動きは完結する。店の構造と接客システムが「宇ち多」さんや「みつわ」さんと異なっていることを指摘しておきたい。この接客の動きも、その店ならではの雰囲気を醸しだす要素となっている。先に構造的な問題としたのはこの点だ。

それにもつ焼きを焼くのに「宇ち多」と「みつわ」さんは炭を使っているが、「江戸っ子」さんは近年炭からガスを導入した。炭を使うことの善し悪しではなく、このあたりも「宇ち多」と「みつわ」さんにくらべ、「江戸っ子」さんのハイカラ感がある。飲み物を見てみると、最近では「みつわ」さんに生グレープハイが登場したが、「江戸っ子」さんでは各種のサワー類なども用意している。それに「江戸っ子」さんの「ボール」はサーバーで入れる。この「江戸っ子」さんの飲み物の有り様もハイカラといえる。

店によって流儀というか、取り決めがある

店によって流儀というか、取り決めがある。「江戸っ子」さんでは左の写真ように掲

「江戸っ子」の読書禁止の張り紙（2009年撮影）

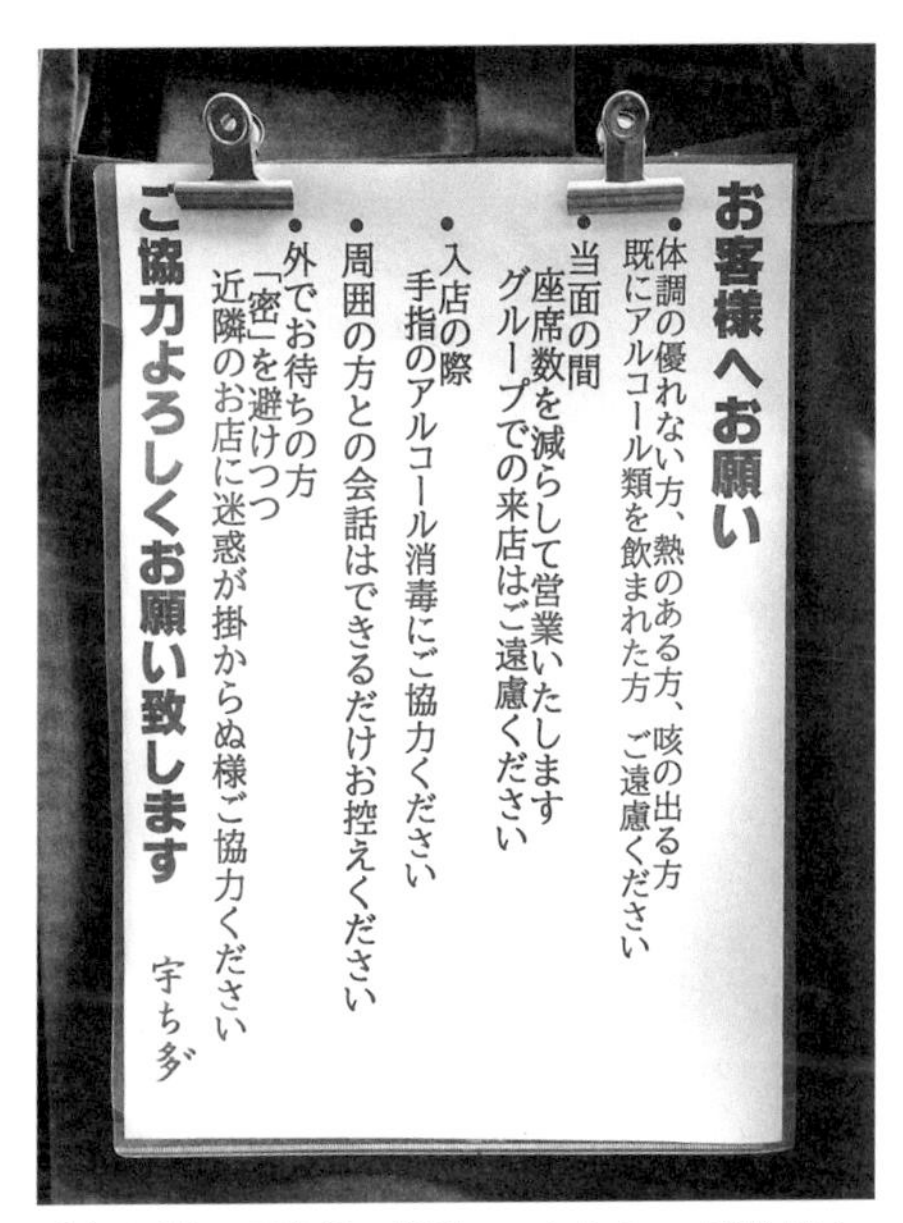

「宇ち多」の張り紙。新型コロナウイルス感染拡大にともなう注意書きのなかに、「既にアルコール類を飲まれた方 ご遠慮ください」の文言（2021年撮影）

示がある。

店に入って雑誌や新聞を読んでいると、たちまち注意されてしまう。これは「早い、旨い、安い」の原則から薄利で営業をするには、客を多く入れ店の回転をよくさせないと経営が成り立たないことから客へ課すルールなのである。客に読書よろしく長居されていたのでは、客の回転が悪く、その日の営業に響いてしまう。

立石の「三平」や「宇ち多」さんでは、すでにアルコールを飲んでいる人の入店はお断りする旨の貼紙が店先にある。これもアルコールが入って酔った人はつい長居をしてしまうという、「江戸っ子」さん同様の対処もあると思うが、それだけではないように思う。うちが立石の玄関口で、うちから口火を点けてくれよという、店としてのプライドもあるのかもしれない。立石の玄関口というのは少し言いすぎかも知れないが、うちを好きなお客さんに来てほしいという店主の客を大切にする心のあらわれと見たほうがよいのであろう。

それと「宇ち多」さんでは、「三杯ルール」というのが都市伝説的になって流布している。パンチの効いた梅割を三杯も飲めばかなり酔ってしまうが、これもいくつかの解釈がまかり通っているようだ。「三杯までしか飲ましてくれない」と量的制限と理解する人が多い。しかし、仲間と来ておしゃべりに夢中になっていて、梅割のお替わりをすると、「お客さん飲まないでしゃべっているだけなら、外に待っている人いるから……もう三杯飲んでいるよね」と体よく断られてしまう。三杯という目安で時間的制限をかけることもある。いずれも客の回転を促す効果があることが肝になろう。

二十五年ほど前になるが、勢いで梅割を八杯飲んだことがある。店を出たとたん腰を抜かしてへたり込んでしまい、立石仲見世のガードの天井がぐるんぐるんと回っていた。宝焼酎二十五度の怖さを体で知った時だった。

符牒もその店ならではのしきたりの部類であろう。品物の注文もその店ならではの言い方がある。たとえば、もつ刺しを頼む時、「ガツ刺し」とは言わず、「ガツ生」と注文をとる店がある。「刺し」か「生」か、店によって言い方がちがうので、はじめての人やまだその店に馴れていない人は、他のお客さんの注文の仕方や店の人の返しなどを参考にするとよい。

ここ二十年ほどの間に、立石のもつ焼き屋さんでも、「ボール」と注文して、「酎ハイですか」と聞き直されるようになった。立石に店を構えているというプライドがない店か、店主の従業員への教育がなっていないのであろう。

「ウイスキーですか、焼酎のほうですか」と返ってきたら、立石退場ものであろう。それとくれぐれも「宇ち多」さんで「ボール」は禁句である。「お客さん、うちボールないの知らないの、うちに来るなら勉強してきてよ」といわれるのがオチである（二〇二〇年九月十五日から宝焼酎が「宇ち多」さん監修の「缶チューハイ」を発売した。しかし、店では提供していないのでご注意を）。

そういえば「宇ち多」さんで、「もう少し飲みたいな、でも、もう一杯はチョットきついかなぁ」という時にありがたいのが、「半分」である。「半分」といっても、グラス八分目まで焼酎が注ぎ込まれる。注がれた後に、思わず「ありがとう」という気持ちで頭を下げてしまうのは、飲み助の習性なのであろう。仕上げの作法だから、「半分」を二度頼むことはできない。

「宇ち多」さんに三、四人で入った時の席の案内が、見事としか言いようがない。「お客さん何人できているの、グループだったらまず一つ席が空いているから先に入って座っといて、後で一緒にするから」と案内され、また空き席が出ると、先に入った仲間とは離れていても、そこに案内される。グループ全員が店には入った時は、バラバラでもいつのまにか隣り合わせの席になるのである。

客に対する観察眼に裏づけされた、まわりの客の飲み具合などから離席をシミュレーションして行動パターンを読み、絵合わせパズルのようにグループにまとめあげる職人技ともいうべき誘導は、脱帽ものである。これらは立石のもつ焼き屋さんのしきたりの一端であるが、店側が厳しいというよりも客に優しいように思えてならない。

もつ焼き屋さんで耳を澄ませて、客の注文を聞いていると、つぎのようなやり取りがある。

「カシラす焼き」

「酢お願い」

「それと、お新香、大根だけ」

「ショウガのせないで」

「宇ち多」さんでよく聞かれる客と店とのやりとりの一例だ。見事な客と店の阿吽の呼吸だ。焼き加減も「よくやき」「わかやき」だの、店側ではなく、客側の好みでオーダーする。そればっかりか、「酢お願い」など、プラスアルファーが加わる。

これとよく似た場面に牛丼のチェーン店で出くわす。「つゆだく」「つゆなし」だの、「玉葱抜いて」だの冷静に考えてみれば、客の嗜好と言えば聞こえがよいが、一方的な客のわがままだ。「下町ハイボール」も「氷抜いて」とか、「氷二つ」とか客の細かな注文が店側に投げかけられる。もつ焼き屋さんで飲み物や食べ物の注文を注意して聞いていると、そのバリエーションの多さに驚いてしまう。客の多様な注文に、店側は文句も言わず対応している。その姿を見ていると、一見して老舗と目されるもつ焼き屋さんは、店のしきたりがあって厳しいように思うが、じつはさにあらず、客のほうがわがままなのではないかと思えてならない。

「ボール」といって腰掛けると、「ご新規さんボール一丁」と返ってきて、すぐにボールがテーブルにもたらされる。この立て板に水のようなリズムが、ひと仕事終わった後の心地よさを倍増させてくれる。

客を大切に、「お疲れ！」と口に出さずとも、店でのひと時を大切にしてもらいたいという店の雰囲気が全身にしみる、そんなもつ焼き屋さんが立石には多い。いや京成線沿線にたくさんある。飲み物やもつ料理の美味さはもちろんであるが、客のわがままを聞いてくれる懐の深さのあるもつ焼き屋さんが、人気のある老舗といわれる店なのではないだろうか。

4
立石仲見世物語

（2009年撮影）

仲
立石

戦後復興とカスリーン台風による大洪水

戦後、日常生活を営むための必需品が欠乏し、非正規ルートの物資を扱う闇市が日本各地の都市に出現する——と諸書に書かれたりしているが、それは現象面だけとらえたもので、なぜそこに闇市が形成されたのか、「場」の問題が重要であり、それを見落としている記述も多い。

当たり前だから書かないということなのであろうか。鉄道敷設後の立石のまちは、立石駅という存在なくしては語れない。鉄道敷設以前の立石は古代から水陸交通の要衝のひとつとして存続してきた。その交通の要衝に鉄道の駅が設けられたのである。さらに一九三二年（昭和七）の市郡併合によって葛飾区が誕生し、葛飾区役所が立石駅近くに置かれたことにより、政治的な求心性が付加された。立石というまちは、葛飾区における政治的にも経済的にも要所として機能するようになったのである。その中心的存在が立石駅であった。

そのような脈略の中で戦時中の立石駅周辺の風景が展開し、終戦を迎え、闇市が登場するのである。そして、その闇市からだけでは、後の千ベロの聖地と呼ばれることにはならないのである。立石仲見世の変遷や立石駅周辺の開発の様子を確認していくことによって、その答えがみえてくるはずである。

立石駅南側では、一九四六年（昭和二一）、現在の協同組合立石仲見世共盛会の前身と

戦後の夜の賑わいをかすかに伝える建物が残っている
（2020年撮影）

カスリーン台風で水没した立石駅。駅名がローマ字表
記になっているところがＧＨＱ時代をうかがわせる

腰まで水に浸かった立石大通り

なる「立石マーケット商店会」が設立する。この頃から店がならび活況を呈していた様子がわかる。「宇ち多」が営業を開始したのもこの年である。

昼の活気とともに、立石は夜も賑わいをみせる。立石駅北側の交番の裏手に花街ができたのだ。東京大空襲で玉の井と亀戸から焼け出された女性たちの一部が、戦争が終わる前の一九四五年(昭和二〇)六月には商売をはじめていたという。「産業戦士慰安所」という看板を掲げての開業だったが、すぐに戦争が終わり、進駐軍の兵士相手の慰安所に指定された。当時、三十五軒の店に百人ほどの女性がいたという。翌四六年三月には、進駐軍の兵士は立入禁止となり、一般の客で賑わったという。

ようやく昼と夜に賑わいを見せるようになった立石地域だが、一九四七年(昭和二二)九月、カスリーン台風による大洪水に見舞われてしまう。東海方面から房総半島に侵入してきたこの台風は、本州に停滞した前線を刺激し、大雨を降らせ、関東の諸河川を増水させた。九月十六日未明、埼玉県北埼玉郡東村の利根川右岸堤防が決壊したのを契機に、濁流が元荒川と江戸川にはさまれた栗橋・鷲宮・幸手・久喜・春日部・吉川などの地域をつぎつぎに呑み込んでいった。

濁流は、東京へと迫り、葛飾区水元の桜堤まで到達する。十九日未明、頼みの桜堤が決壊し、濁流が葛飾区へ一気に流れ込み、中川と江戸川にはさまれた水元・金町・柴又方面、さらに江戸川区小岩方面は水没してしまう。翌二十日午前三時頃には、中川右岸の亀有付近でも堤が切れ、中川と荒川にはさまれた亀有・青戸・立石・四つ木・堀切方面も水没する。

二十一日になってようやく濁流は破堤地点より七五キロ離れた江戸川区新川堤防で止まるが、葛飾・江戸川区の全域がほぼ浸水した。

カスリーン台風によって東京・埼玉・群馬・栃木・茨城・千葉の一都五県で多くの家屋が流失、倒壊し、死者一一〇〇人、負傷者二四二〇人におよぶ大災害となった。

全域に濁流が達した葛飾区は甚大な被害に見舞われ、立石地域も床上まで浸水した。当時の写真からは立石駅周辺の様子を知ることができるが、残念ながら詳細な被害状況や復興の経緯を記録した資料は見あたらない。

私はカスリーン台風後に生まれたので、実際に体験していないが、子どもの頃は木造家屋の柱や壁など至る所に洪水で浸かった汚れの痕が残っていたし、この台風による災禍を親や地域の大人から聞いていたので、身近に感じることができた。

それは戦時中の生活の状況についても同じで、戦争の傷痕や関連する資料が周辺にあり、親や大人の体験談なども聞かされていたので、戦争を身近に感じていた。

それはさておき、甚大な災禍を被ったが、日常生活をとり戻すよう水害後の復興に力が入れられていく。京成電車は立石駅と四ツ木駅間が九月三十日まで不通となっていたが、その後、運行を再開した。立石駅周辺の住民の生活を支える商店街もしだいに営業を再開したようで、立石大通りの喜多向観音の縁日も復活する。ふたたび催されるようになった縁日には、災禍を乗り越え、賑わいをとり戻したいという地元の人々の願いが込められていただろう。

朝鮮特需から立石仲見世の誕生へ

一九五〇年（昭和二五）になると日本の経済状況は一変する。「朝鮮特需」といわれる朝鮮半島で勃発した戦争を契機にもたらされた好景気は、戦後日本経済の復興を促すカンフル剤となった。朝鮮戦争は一九五三年（昭和二八）七月に休戦となったが、好景気に後押しされ、経済の進展は続き、道路などのインフラ整備も進んだ。葛飾区内では、一九四七年（昭和二二）に工場数が一二七四軒、従業員一万五二九九人だったのが、一九五

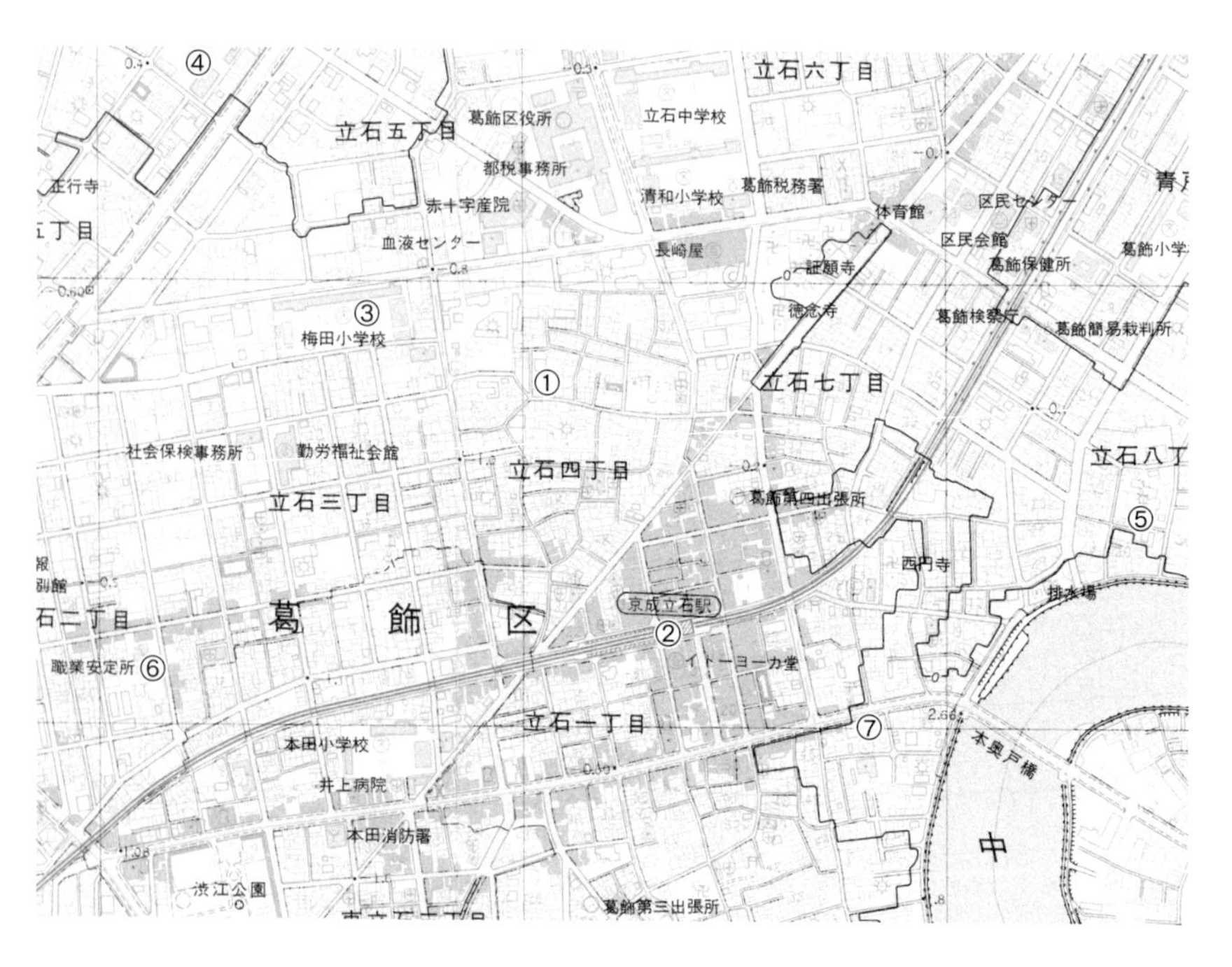

立石駅周辺地図（1983年の国土地理院1万分の1地形図「青戸」）
①自宅位置　②京成立石駅　③梅田小学校　④大道中学校
⑤日本製薬葛飾工場　⑥職業安定所　⑦喜多向観音

1952年（昭和27）の立石大通り。商店が立ちならび賑わう

「呑んべ横丁」には1954（昭和29）年に建てられた「立石デパート商会」時代の看板が残っていたが、2019年に取り壊された（2009年撮影）

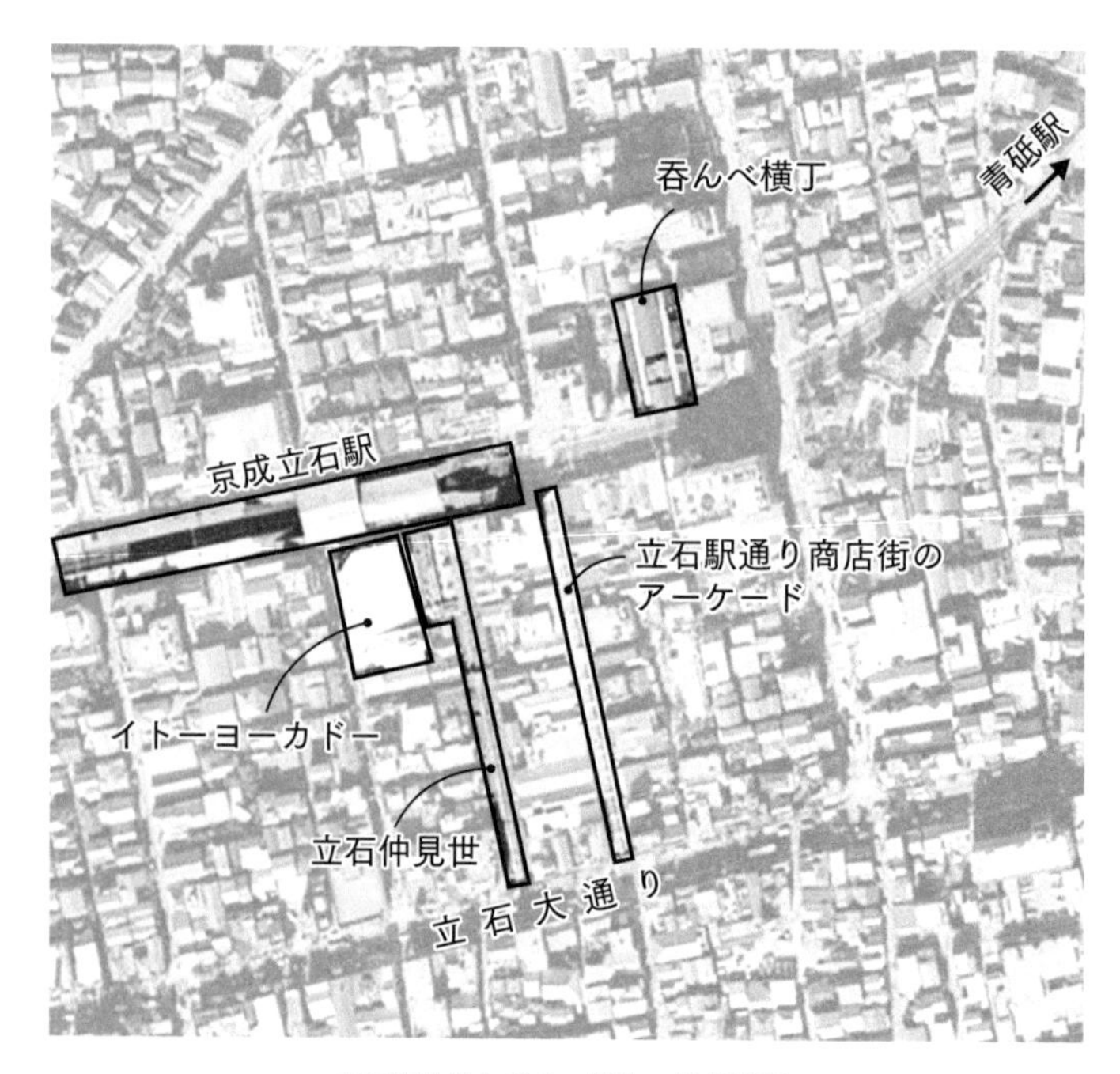

立石仲見世と呑んべ横町の位置関係
（1984年、国土地理院空中写真）

三年（昭和二八）末には工場数が二一一七軒と急増し、それにともない労働人口も激増した。

立石駅周辺の商業振興の様子からも、その状況をうかがい知ることができる。現在、立石駅周辺の商店会は、南側に「立石大通り商店会」「協同組合立石仲見世共盛会」「立石駅通り商店会」「立石勉強会」「立石中央通り商店会」の五商店会、北側に「立石西町商栄会」「区役所通り中央商店会」の二商店会の都合七商店会があり、駅南側に商店街が集中している。

そのなかで商店会として結成されたのは、「立石大通り商店会」が一九三〇年（昭和五）と一番古く、「協同組合立石仲見世共盛会」「立石駅通り商店会」「立石勉強会」「立石西町商栄会」が一九五五年（昭和三〇）までに設立し、「立石中央通り商店会」と「区役所通り中央商店会」が高度経済成長期の昭和四〇年代で、人口の増加が商業振興を後押しした様子がわかる。

後に千ベロの聖地といわれる起こりとなった立石仲見世は、一九五四年（昭和二九）の夏頃に店舗の連なる長屋建物と初代アーケードが設けられ、同年十一月十七日に設立している。またこの年、立石駅北口の呑んべ横丁の前身となる「立石デパート商会」が建

昭和30年代の葛飾区役所周辺。上：田んぼが埋められ宅地になっていく様子がわかる。小学校に上がる前、母に連れられてこの田んぼに来てザリガニを捕った思い出がある。左手の丸い建物は日赤病院。下：京成電車の軌道をはさんで田んぼがある。上方奥は青戸団地。昭和30年代はまだ農業に勤しむ風景を見ることができた

てられている。

しかし、労働者の活力源となるもつ焼き屋など、後の立石の名物となる生業が根づくようになったのは一九五五年（昭和三〇）前後のことである。

高度経済成長期を経て現在のかたちになる

昭和三〇年代を迎えても好景気は続いた。一九五六年（昭和三一）には、国民所得が戦前の最高水準に追いつき、政府は「もはや戦後ではない」と戦後復興の完了を宣言するまでに至った。

三種の神器といわれた冷蔵庫・洗濯機・白黒テレビの家電製品が登場し、新しい生活スタイルが浸透していくのもこの時期である。新幹線開業や首都高速道路建設など東京オリンピック開催にむけたインフラ整備もおこなわれ、好景気は大阪万国博覧会が開催される一九七〇年（昭和四五）頃まで続いた。

葛飾区内の工場数は一九五七年（昭和三二）末には二七〇〇軒、従業員数は四万三六九

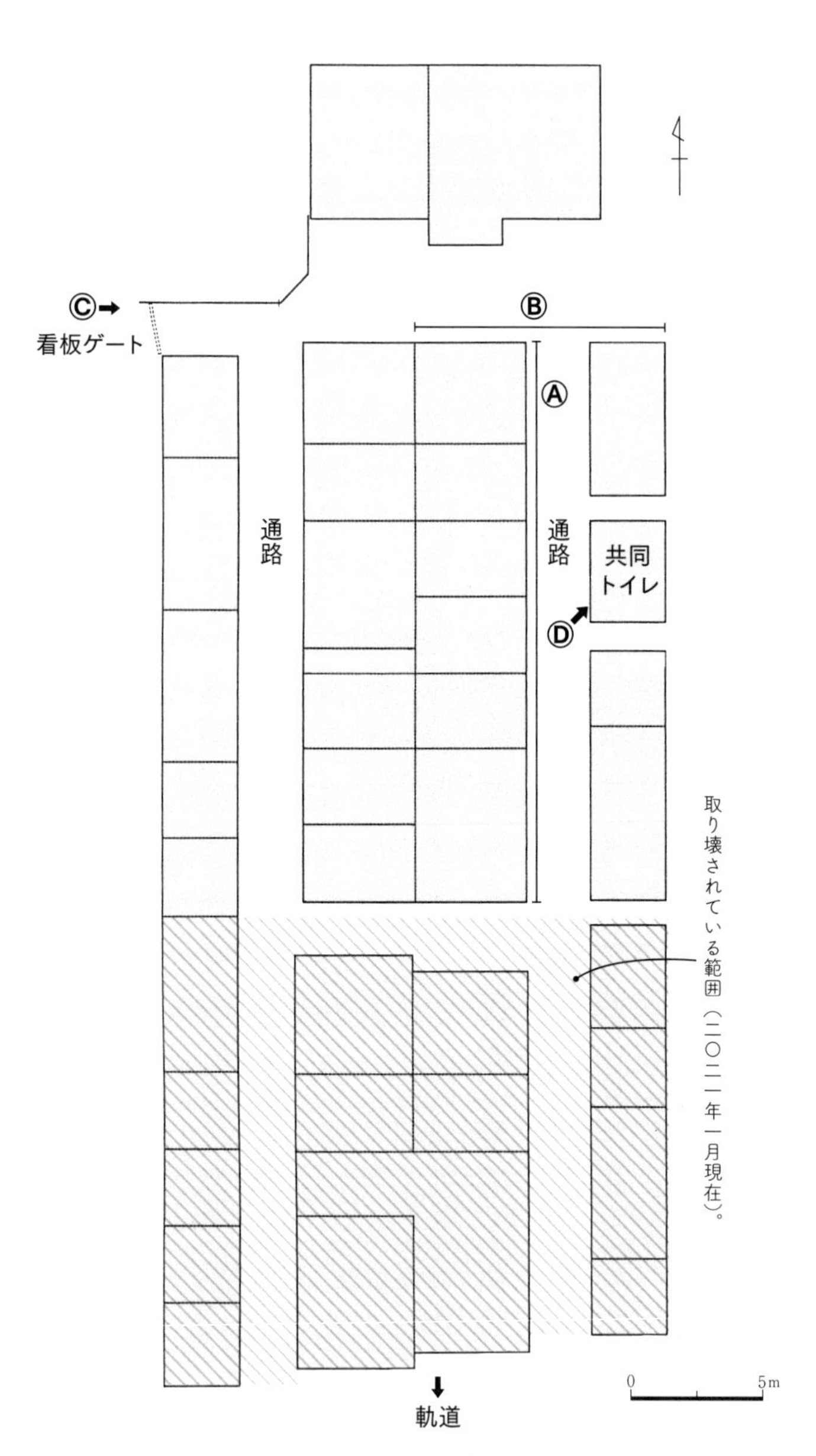

呑んべ横丁の見取り図

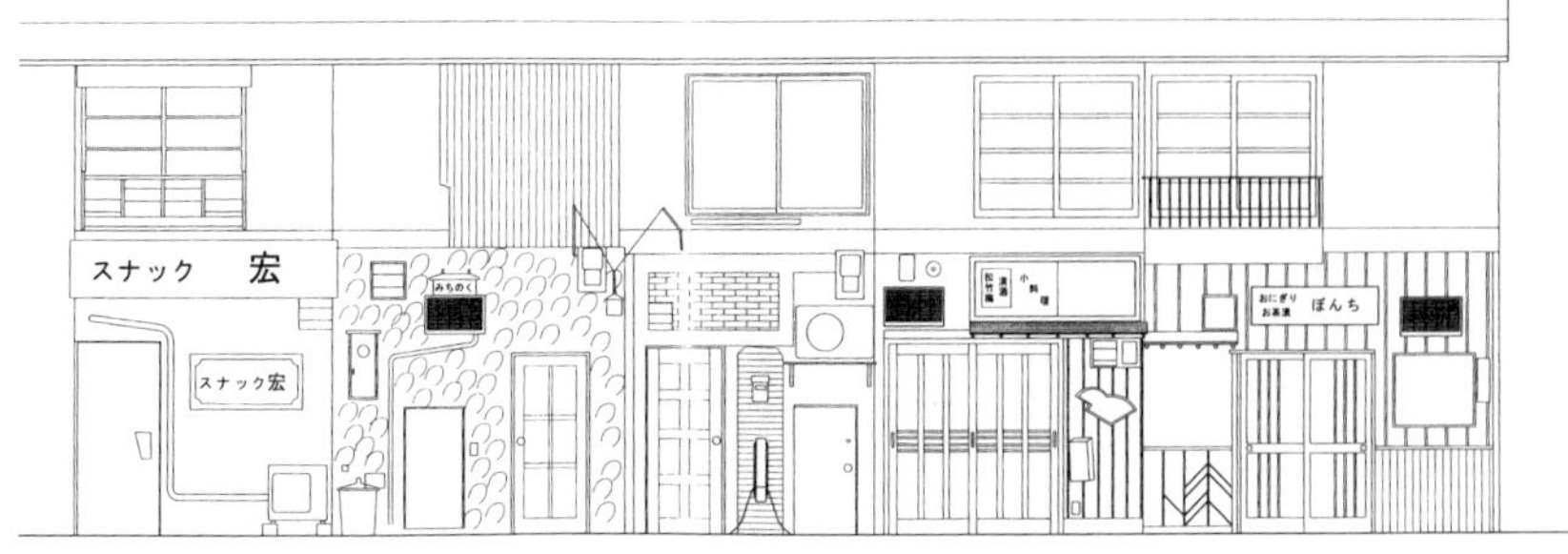

右図Ⓐ

右図Ⓑ

店の立面図

右図Ⓒ西側の路地にあるゲート

右図Ⓓ共同トイレ

上／ある日の「呑んべ横丁」の昼（2009年撮影）
下／ある日の「呑んべ横丁」の夜（2009年撮影）

六人に増加していたが、一九六二年（昭和三七）末には工場数三一六五軒、従業員数五万九八八三人に達し、一九七一年（昭和四六）末には工場数四六〇五軒と激増している。しかし、従業員数は一九六七年（昭和四二）末に六万三〇〇〇人を超えていたが、七一年には五万五七五二人と減じている。これは工場での機械化・合理化が進んだことによって生じたものである。

工場の増加と都心に近いという立地条件から、住宅開発の波がまだ耕地の広がっていた立石駅周辺にも押し寄せ、水田は埋め立てられ宅地化が急激に進んでいく。一九六二年（昭和三七）、現在の区役所が建設され、翌年には「立石駅通り商店会」が現在のようなアーケードになる。同年、立石仲見世の西隣にヨーカ堂立石店（現在のイトーヨーカ堂食品館立石店）が開業するなど、いま見られる立石駅界隈や周辺部のまちなみ景観が形成されていく。

この間、立石駅北側の「立石デパート商会」は、一時期、非公認の夜の稼業をおこなう青線となった。立石駅北側は、交番裏手の赤線と交番むかい側に青線が出現し、色街的な色彩を強める。

しかし一九五八年（昭和三三）に売春防止法が施行され、赤線・青線とも店を閉じ、飲食店街に姿を変えていく。とくに青線地帯は、線路と直交する二本の細い通路に狭い間口のスナック、パブなどの居酒屋が軒を連ねる「呑んべ横丁」となっていく。

一九六〇年（昭和三五）には、仲見世のアーケードの改修がおこなわれ、一九六四年（昭和三九）には東京オリンピックの聖火リレーが立石大通りを通っている。聖火リレーは立石以外にも区内各所を通っており、聖火を見た人は「もはや戦後ではない」という言葉を実感したのではないだろうか。

千ベロの聖地「立石」とは、立石仲見世のエリアのことである

いよいよ、いわゆる千ベロの聖地「立石」に入り込むのであるが、まずその空間的位置と範囲を明確にしておきたい。雑誌やテレビ、SNSなどでは、千ベロの聖地「立石」の範囲はあまり重要視されていないようで悲しい。なぜならば、そもそも「千ベロ」とはなんぞやという本来の意味がぼやけてしまうからである。「千ベロ」とは、千円でベロベロになるまで酔える、酔うことができるという、酒飲みにとっては財布に優

立石仲見世

しく、陶酔境にひたる心持ちの言葉だ。

千ベロの聖地「立石」とは、立石駅周辺と漠然と思われているようだが、私は駅南側の「宇ち多」や「みつわ」さんのある立石仲見世のエリアと規定したい。

駅周辺とする人は、駅北側の「呑んべ横丁」も含めてイメージしているのだろう。しかし、「呑んべ横丁」で千円というと、ビール一本、あるいは焼酎ハイボールなどのロングカクテルとつまみ一品程度で、ベロベロにはなれない。

それが立石仲見世のエリアとなれば、たとえば「宇ち多」さんなら焼酎の梅割三杯ともつ焼き二皿、「みつわ」さんなら焼酎ハイボール二杯ともつ焼き二皿頼んで、消費税が一〇パーセントになる前は千円でおつりがきた。十分酔えて満足できるが、これで終わらないのが常で、もう一枚札を用意することになる。

「宇ち多」や「みつわ」さんに代表されるもつ料理を専門とし焼酎を主体とする地域的な飲食文化は、立石仲見世という「場」で継続されており、くり返しになるが「呑んべ横丁」は「千ベロ」の飲み屋街ではなく、地域的な飲食文化を業とする店でもない。

ひとつだけ別格がある。「江戸っ子」である。「呑んべ横丁」を抜けた先にあり、立石では一九七三年（昭和四八）開店という比較的新しい店であるが、もつ料理を専門とし焼酎を主体とする飲み屋でファンも多い。

第一次~第三次立石千べロブームから千べロの聖地「立石」の誕生

「千べロ」という文句を考えると、昭和四〇年代を過ぎると、「江戸っ子」だけでなく「三平」などのもつ料理を専門とし焼酎を主体とするアルコール飲料を出すいわゆるもつ焼き屋さんが、立石駅北側にも店を構えるようになる。昭和五〇年代、六〇年代には、駅の南・北に美味しくて安いもつ焼き屋さんが展開することから、立石を「千べロ」のまちとイメージするようになる。時間の経過と変化を説明するため、これを「第一次立石千べロブーム」と仮称しておきたい。学生時代の私たちは、すでに「千べロ」という言葉を立石で使っていた生き証人でもある。

そして、二〇世紀が終わり、二一世紀に突入する二〇〇〇年前後、平成でいうと一〇年代あたりのバブル崩壊後の時期に、テレビや雑誌などで立石がよく取り上げられるようになる。それを「第二次立石千べロブーム」としよう。さらにSNSの拡散で行列をなすようになったいまを「第三次立石千ベロブーム」と呼んでおこう。

平成も三〇年たって令和を迎え、昭和という時代が遠のくなかで、昭和回帰あるいは回想するいわゆる「昭和レトロ」が注目されている。この「昭和レトロ」のブームよって、本来狭義の「千ベロ」の範囲となる立石仲見世だけでなく、古き良き時代の情緒を体感できる「呑んべ横丁」が取り込まれ、もつ料理を専門とし焼酎を主体とするいわゆるもつ焼き屋さんだけでなく、立石駅の南と北側の飲み屋街に新たに「千ベロ」が冠され、巷では千ベロの聖地「立石」と呼ばれるようになっている。

先ほど、立石仲見世のエリアを千ベロの聖地「立石」と規定したいと語ったが、じつは、北と南の対照的な飲み屋（街）に、立石の飲み屋の魅力の一端が宿っているのではないだろうか。

「立石仲見世商店街」の変遷と賑わいの変化を概観

いよいよ狭義の「千ベロ」の「場」となる立石仲見世にスポットを当てたい。ここで

1956年(昭和31)の立石仲見世。店舗は平屋の長屋で、アーケードは低く、シートである。通路は両側から中央にむかって傾斜があり、中央に排水溝があった

1960年(昭和35)の立石仲見世。店舗が2階建てになり、アーケードの天井が高くなった。通路にはタイルが敷かれている。この写真に写っている光景が私の記憶にある立石仲見世だ

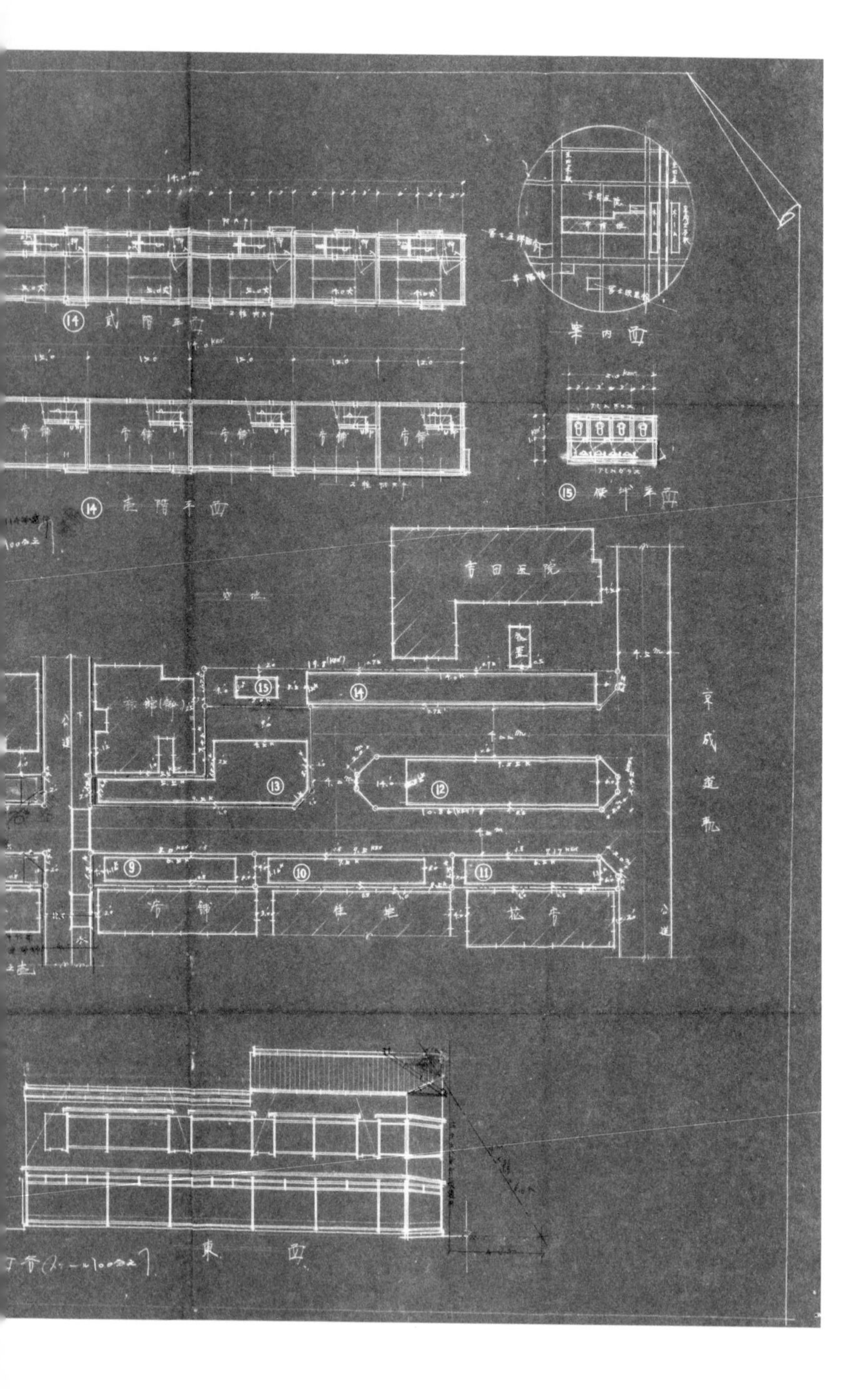

⑭ 弐階平面
⑭ 壱階平面
⑮ 便所平面
吉田医院
店舗
住宅

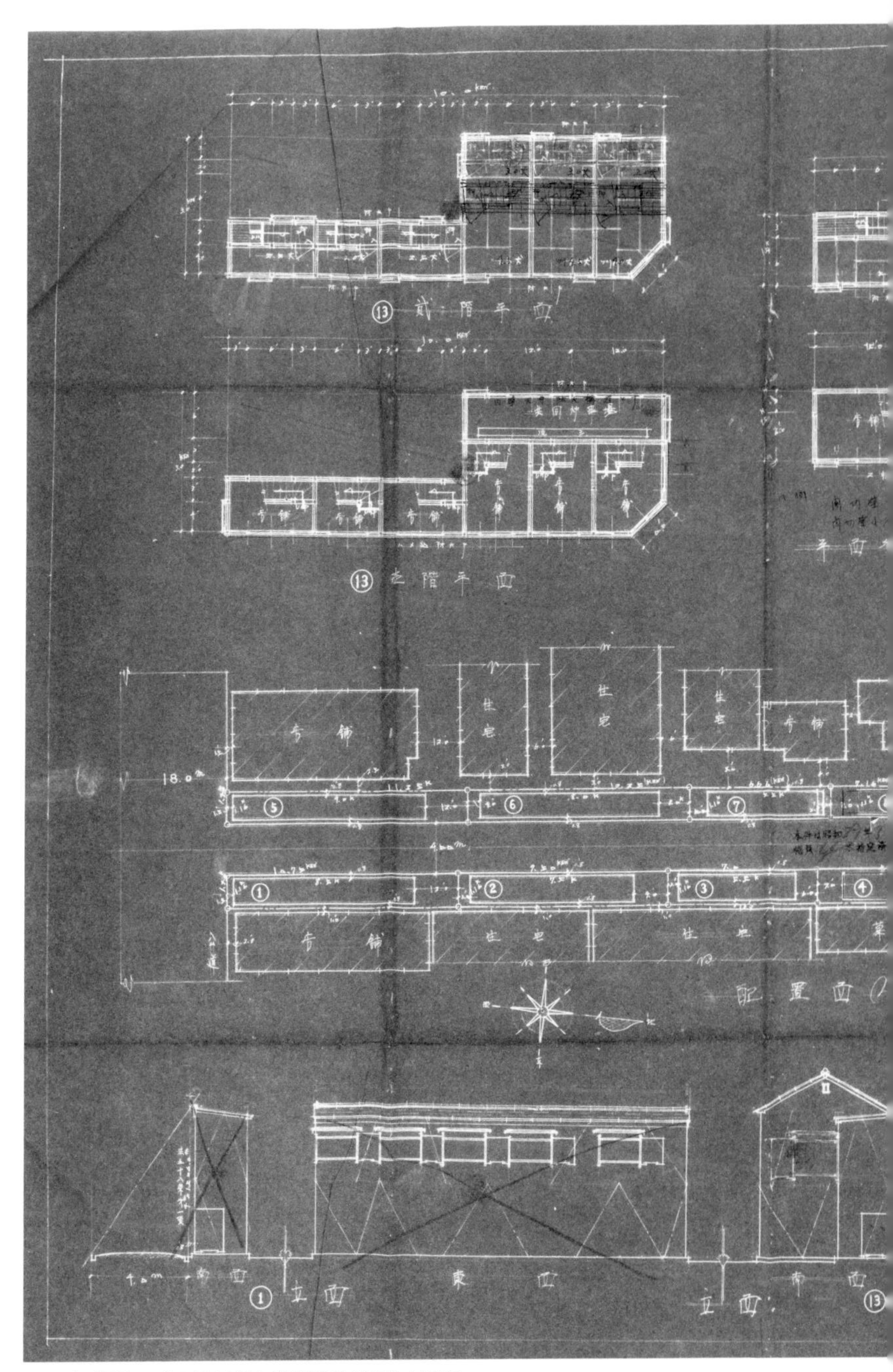

1954年（昭和29）3月26日に建築確認が下りた図面

1957

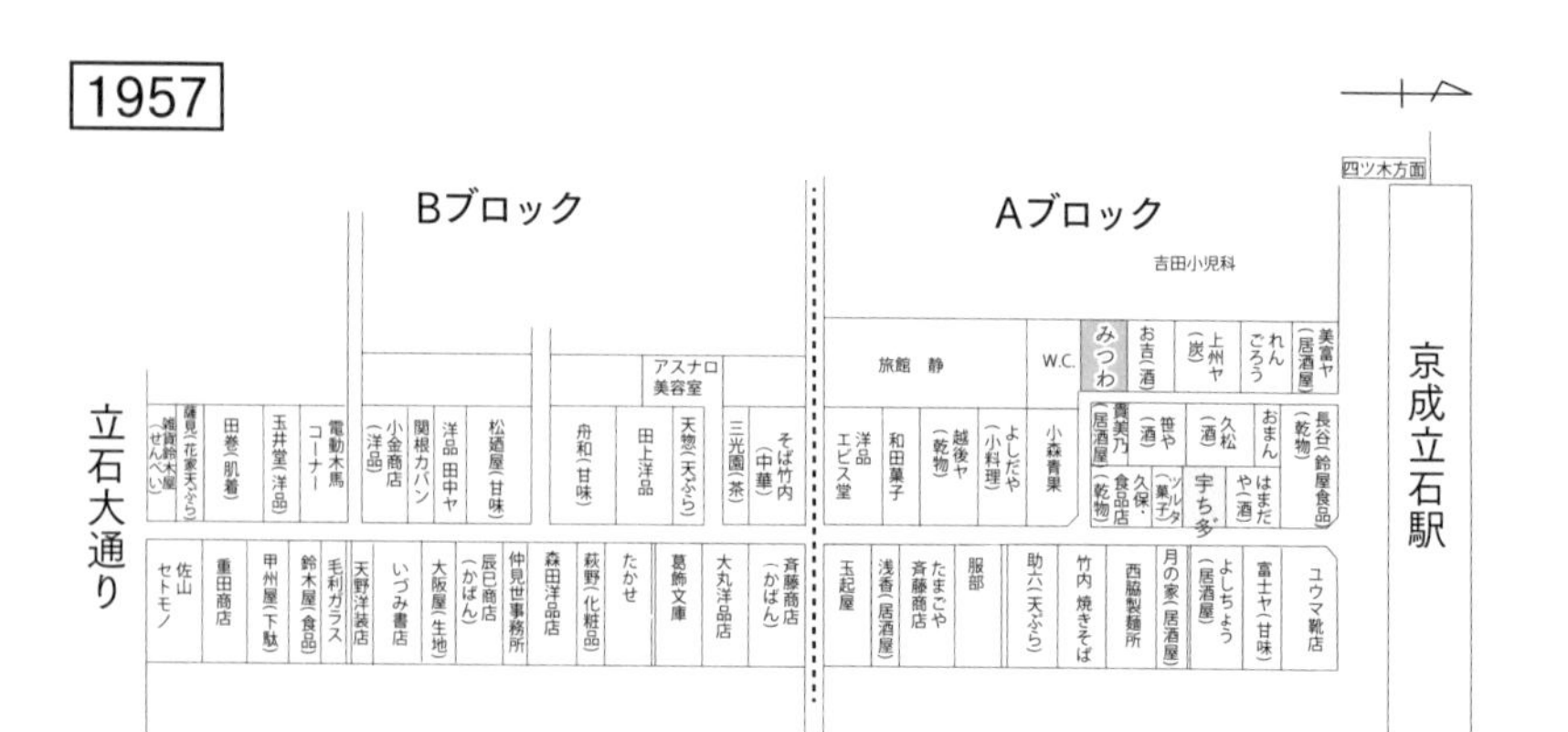

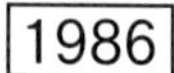
1986

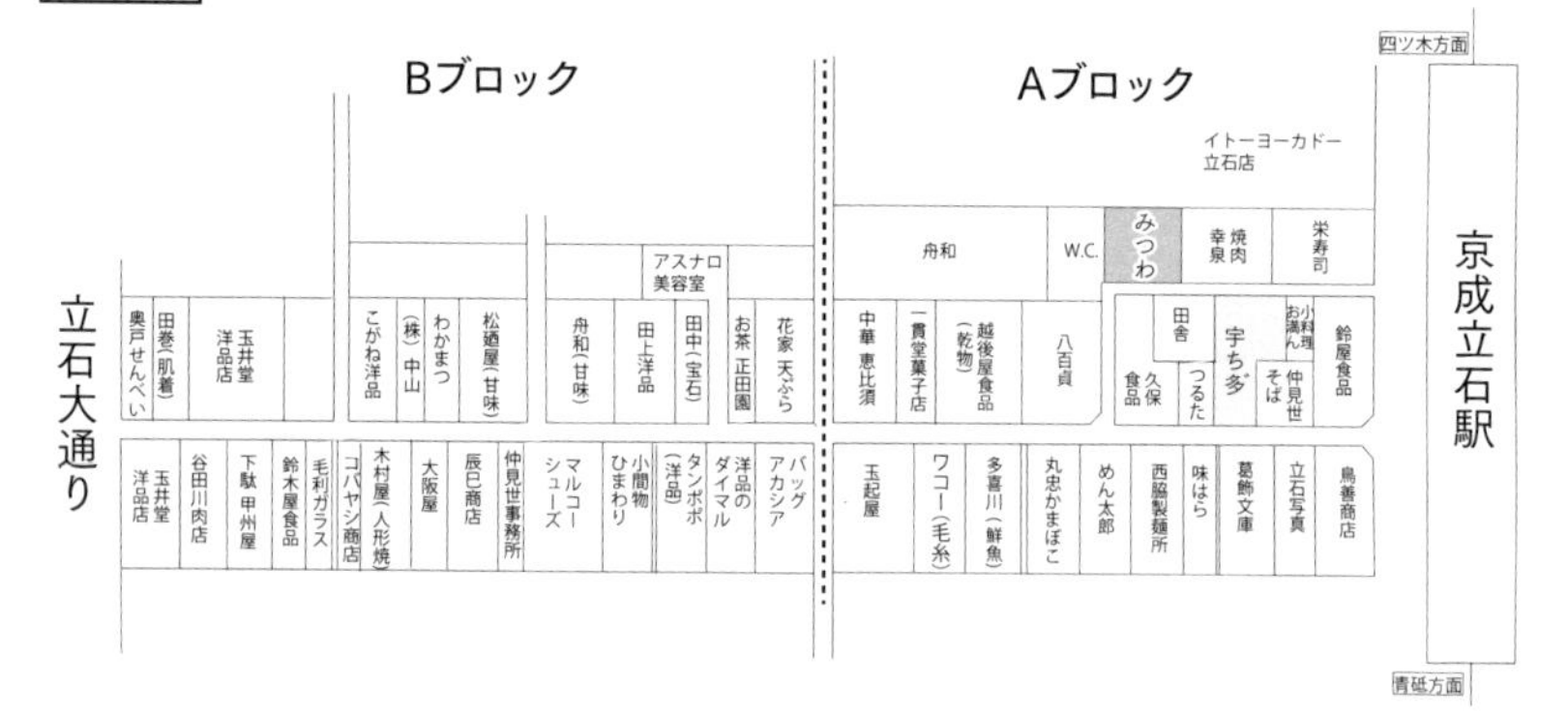

2018

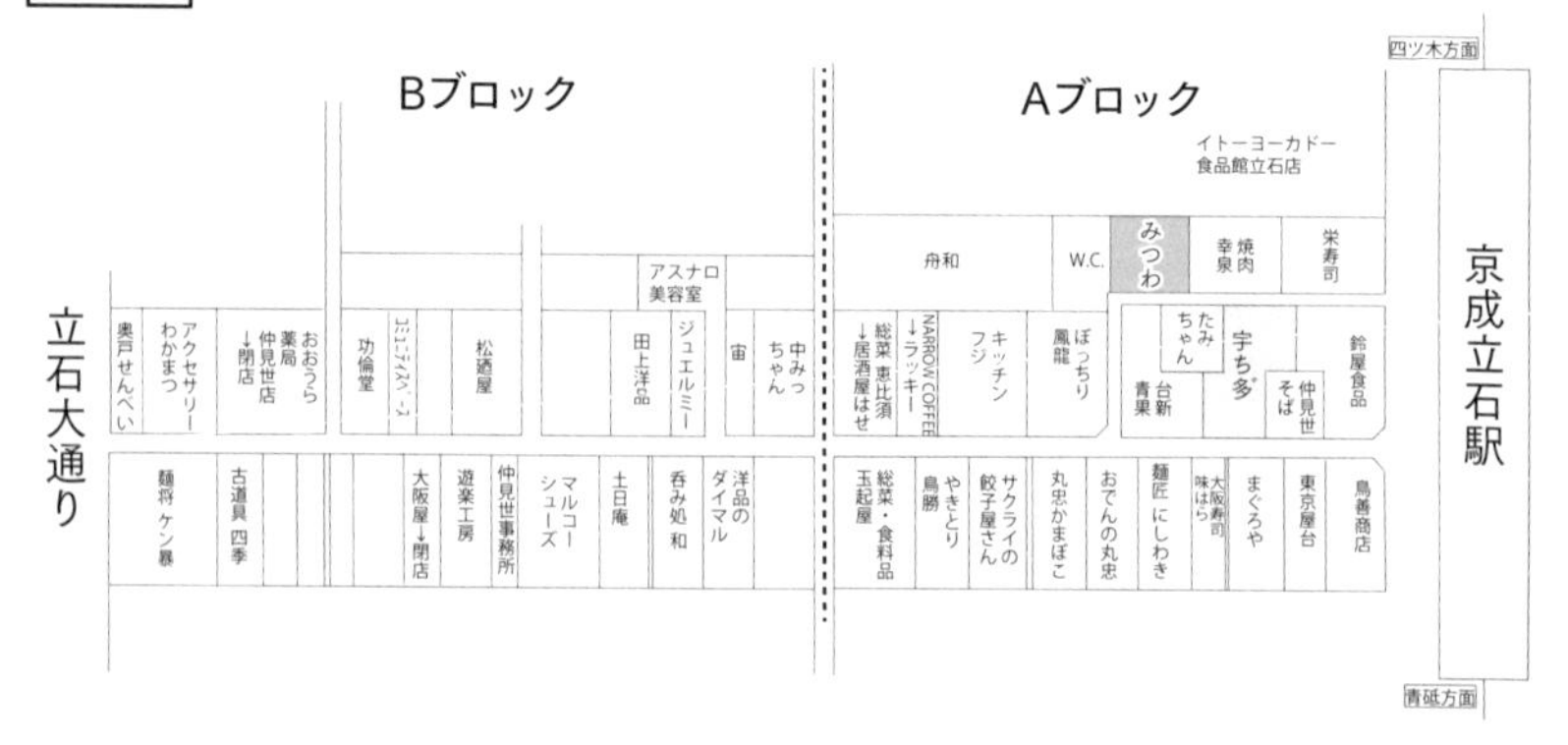

は葛飾区郷土と天文の博物館の葛飾探検団がまとめた「立石仲見世商店街」（『可豆思賀』七）を参考にしながら、思い出も織り交ぜて、「立石仲見世商店街」の賑わいの変化を概観してみたい。

すでにのべたように、一九四六年（昭和二一）に「立石マーケット商店会」が組織され、八年後の一九五四年（昭和二九）十一月十七日に「協同組合立石仲見世共盛会」が設立している。この年の夏頃には、長屋建物と初代アーケードが設けられたという。

手塚敬之氏が作成した一九五七年（昭和三二）、一九八六年（昭和六一）、二〇一八年（平成三〇）の三点の立石仲見世商店街の見取り図を見ると、店がどのように変わったかがわかるだけでなく、母に手を引かれて買い物に訪れた時のことや、大学生になって飲みに行った頃のことが思い出されて懐かしい。

筆を進めるにあたって、説明しやすいように東西に貫く通りを境に、駅側をAブロック、立石大通り側をBブロックと仮称しておく。

私の生まれる前の一九五七年（昭和三二）の見取り図を見ると、惣菜、衣料品を扱う店が目立ち、酒を飲ませるところは駅に近いAブロックに集中している。Bブロックは、東側には衣料品関係の店が多く軒をならべ、西側は二軒の甘味処が目立つ。

右頁／立石仲見世通りの見取り図で見た変遷

一九八六年（昭和六一）の見取り図の時期は、私はもう大学を卒業し、「みつわ」や「宇ち多」でもつ焼きを肴に焼酎を飲んでいた頃だ。友だちともつ焼き屋さんで飲んで、もつ焼き屋さんという存在やそこで飲食する風景が、人によってごく当たり前の風景（日常）である場合と、特別な風景（非日常）として映るというちがいがあるということを知ったのもこの頃だった。

一九五七年とくらべてみると、この二枚の見取り図の間に横たわる時間がよみがってくる。Bブロックの西側の「舟和」には、かき氷やソフトクリームを食べに入った。幼稚園児の頃は母と二人で、小学生の頃には妹もいて三人だった。夏の暑い時期、母は宇治金時のかき氷をたのみ、両手で山盛りの氷を押さえつけた後、スプーンで端から崩しながら食べていたのを覚えている。どこかへ出かけた後だったのであろうか。頻繁ではなく、数えるくらいしかないが、だから記憶に残っているのだと思う。

それから一九五七年のAブロックの「竹内」という焼きそば屋は、いまでも食べたいと思う懐かしい味だ。ソース味で、ジャガイモと天かすが入った、ほかの店にはない独自の食感と味のする美味しい焼きそばだった。少年野球に熱中していた頃、荒川放水路河川敷のグランドで野球をした後、四ツ木駅や荒川駅から京成電車で立石駅に戻ってきて、よくこの焼きそば屋さんに直行した。五十円か百円で食べられたと思う。品のいいおじさんとおばさんが営む店だった。となりの「西脇製麵所」でつくった麵を使っていたのであろうか。

一九五七年にはBブロックにあり、一九八六年にはAブロックに移っている「葛飾文庫」さんにもお世話になった。立石駅の南には、ここと立石通り商店街に大きな本屋さんがあって、新本はどちらかの本屋さんで買ったものだった。ちなみにはじめて自分で本を買ったのは、小学生の五年の時、大きな本屋さんのほうで大西信武著『常呂貝塚の発見』だった。

「葛飾文庫」さんは配達もしてくれるので、週刊『二〇世紀の歴史』や小学館版『日本の歴史』などを買っていた。そうそう漫画と間違えて、小説の『巨人の星』を買ってしまい、自分の不注意さを嘆いたのも「葛飾文庫」さんだった。

それと一九八六年のAブロックの「立石写真」さんは、現像やプリントをお願いしたし、中学になって写真部に入ったので一眼レフがほしくなり、はじめて中古のキャノンの一眼レフを買ったのもこの店だった。いろいろとカメラや撮影の仕方などテクニック的なこともよく教えてもらった。

一九五七年のBブロック西側の天ぷら屋の「天惣」は、一九八六年には宝石の「田中」になっているが、ここにはこの間にプラモデル屋さんがあったはずだ。父親はNゲージが好きで、私が幼い頃にはハンダゴテを使ってつくるところをよくのぞいていたものだ。ここのプラモデル屋さんで部品を買ったりしていた。私が小学校に上がると、今度は自分でプラモデルを買った。母親は、きっと私が幼い頃にはこの店の前を通るの避けたかったのではないだろうか。通る前には「今日は買いませんからね」と言いふくめていたにちがいない。そうしないと、プラモデル屋さんの前で動かず、愚図る私がいたと思うからである。記憶の片隅にそんな情景が残っている。

こうして見くらべると興味はつきないが、二〇一八年（平成三〇）の見取り図を重ね合わせると、その変化は一目瞭然となる。Aブロックの駅からの入口に位置する「鈴屋食品」さんと、飲み屋の「みつわ」と「宇ち多」さん、総菜の「玉起屋」さん、Bブロックの「田上洋品」さん、甘味処「松廼」さん、それと立石大通り口にある、店の名を変えているかもしれないが「奥戸せんべい」さんと、BブロックからAブロックに移った甘味処「舟和」さんが一九五七年から二〇一八年まで継続して営業している立石仲見世の老舗ということになる。

深夜の立石仲見世。左手前にあるのは警備をする移動式小屋で、「戦車」と呼ばれていた。いまは引退して見られない（2015年撮影）

一九五七年と一九八六年では、それらの老舗のほかに、「久保田食品」「西脇製麺所」「辰巳商店」「大阪屋」「毛利ガラス」「鈴木屋」「甲州屋」さんなどが営業を継続している様子が確認できる。鞄屋の「斉藤商店」と「バックアカシア」さん、「竹内焼きそば」と「めん太郎」さんは同業種なので同じ可能性もある。

それと一九八六年の見取り図には、Aブロックの西隣がヨーカ堂立石店になっている（図面では上）。ヨーカドーは一九七〇年（昭和四五）に名称を「イトーヨーカドー」に改称しているが、現在もヨーカドーとして看板を掲げる店舗としては、もっとも古い店となっている。

それにしても立石仲見世の隣り合わせに

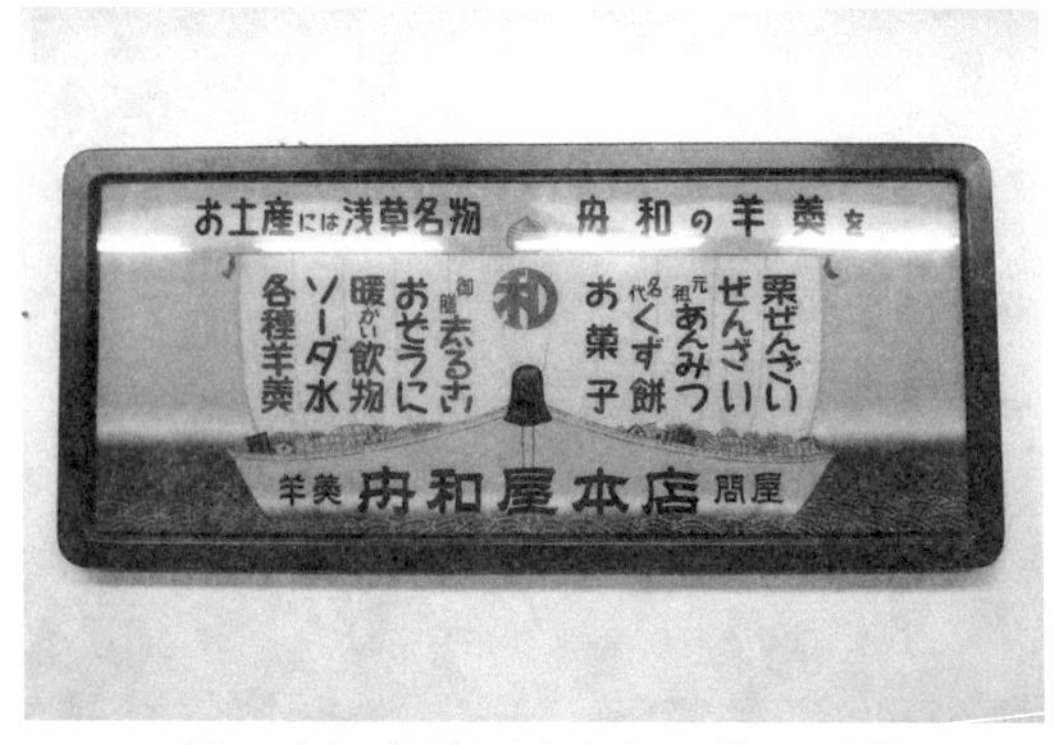

舟和の店内に掲げられた本店から贈られた額
（2009年撮影）

元祖木村屋人形焼支店（立石仲見世支店）
（2009年撮影）

スーパーマーケットのヨーカドーが店を構えたということに驚きを覚える。いまは食品館として食料品に特化しているが、むかしは衣料・雑貨も扱っていた。高度経済成長期後半ならば、大型店の出店を規制する大規模小売店舗法（大店法）の施行で、そう簡単には開業できなかったと思う。地元の商店街も猛反対したにちがいない。

現在見られるイトーヨーカドー大型店舗とは異なり、地域と共存する地域密着型ともいえ、ヨーカドー創業当時の経営方針とも関わっているのだろうか。いまでは立石仲見世の総菜屋さんなど食品を扱う店が激減して、飲み屋が増えた分を補うかのような存在になっている。

一九八六年と二〇一八年では、「鳥善商店」「栄寿司」「焼肉幸泉」「仲見世そば」「マルコシューズ」さんが営業を継続しており、立石駅側のいまおなじみになっている立石仲見世の玄関口の店の風情は、一九八六年には形成されていたことがわかる。

つぎに業種別の動向を見てみよう。一九五七年には駅に近いAブロックに酒を飲める店が集中していたが、一九八六年にはAブロックの東側の飲み屋がなくなり、飲み屋自体が少なくなっている。それとまだ総菜や衣料品を扱う店が営業している。それが二〇一八年になると、空き店舗が目立つようになるだけでなく、Aブロックの東側やBブロックにまで飲み屋さんが展開している。

「小浅草」から「千ベロの聖地」へ

かつての立石仲見世は、小浅草的な雰囲気があった。巷で千ベロの聖地といわれる前の平成のはじめ頃までは、ふだんの日は、夕方に夕食の食材を求める買い物カゴを手にした主婦層で賑わい、土日は衣料品を買い求める客が行き来していた。

この立石仲見世の長屋風の店舗が両側に軒を揃えるたたずまいは、東京下町の仲見世の老舗、浅草の仲見世を範としたものであった。それに立石仲見世の甘味処「舟和」さんやいまは店を閉じてしまった人形焼き「木村屋」さんは、浅草の本店からの暖簾分けや関係の深い店だったし、仲見世で一定の割合を占める衣料品店もどこか浅草の仲見世の店を想わせる店構えだった。このような立石仲見世の諸要素が小浅草的な雰囲気を醸しだしていたが、それもいまは失われてしまった。

このようなことを思い出しながら書いていたら、立石の賑わいで大切なことをまだ書いていないことに気づいた。立石大通りでは、「七」のつく日に縁日が催され、とても

左頁／現在の喜多向観音（2020年撮影）

奉納
奉納
卍
信仰する者必ず一つは叶ふ

賑わい活気を帯びていた。発電機の音と灯されるオレンジ色の裸電球に映し出された出店の品々、そして行き交う人が走馬灯のように照らし出される夜景は、立石を離れて二十年あまりになるが、立石で生まれ暮らした忘れがたい思い出となっている。

この立石の縁日は、立石大通りの奥戸橋に近い南側にある「喜多向観世音菩薩」(通称、喜多向観音)の縁日で、喜多向観音は昔からたいへん御利益のある観音様として知られていたという。七の日の縁日には多くの人がお参りし、立石大通りの両側には出店がならび賑わっていた。

立石に住んでいる頃は、カレンダーを見ては七の付く日が早く来ないかと心待ちにし、縁日になると昼間から浮き足立ち、母に早く縁日に行こうとせがんだものだった。「立石駅通り商店会」のアーケードから奥戸橋側は植木市になっていた。母は植物が好きだったので、私の目論見とは異なり、植木を見るのが楽しみであったのであろう。いま思い出してもとても楽しい魅力的な縁日だったが、なぜか雨の日が多かった。それと縁日に行って「喜多向観音」にお参りした記憶はない。「喜多向観音」の縁日だったと知ったのも大きくなってからのことだった。

5

京成押上線と
チベロの聖地誕生

立石は京成押上線の駅のまちである

立石は京成押上線の駅のまちである。京成押上線は、隅田川以西の都心部と東京東郊の隅田・葛飾区を連絡する交通機関で、沿線の駅は戦後の隅田川以東における東京下町を形成・発展させるインフラストラクチャー（基盤装置）であった。

現在の京成電鉄の前進となる京成電氣軌道は、東京から成田山新勝寺への参詣客を輸送する目的で一九〇九年（明治四二）六月に設立された。一九一二年（大正元）十一月に繁華街浅草に近いターミナル駅押上駅から千葉県市川にむかう江戸川右岸の市川駅（現在の江戸川駅）間と、曲金駅（現在の京成高砂駅）から分かれて北東に一駅の柴又駅間が開業した。またこの年、帝釈天題経寺参詣客のために柴又から金町間を人間が軌道上の客車を押すというユニークな運行していた帝釋人車鉄道を買収して、翌一九一三年（大正二）十月に金町駅―柴又駅間が開通している。こうして隅田川以東の東京下町に、曳舟駅、四ツ木駅、立石駅が開業する（青砥駅が開業したのは一九二八年（昭和三））。

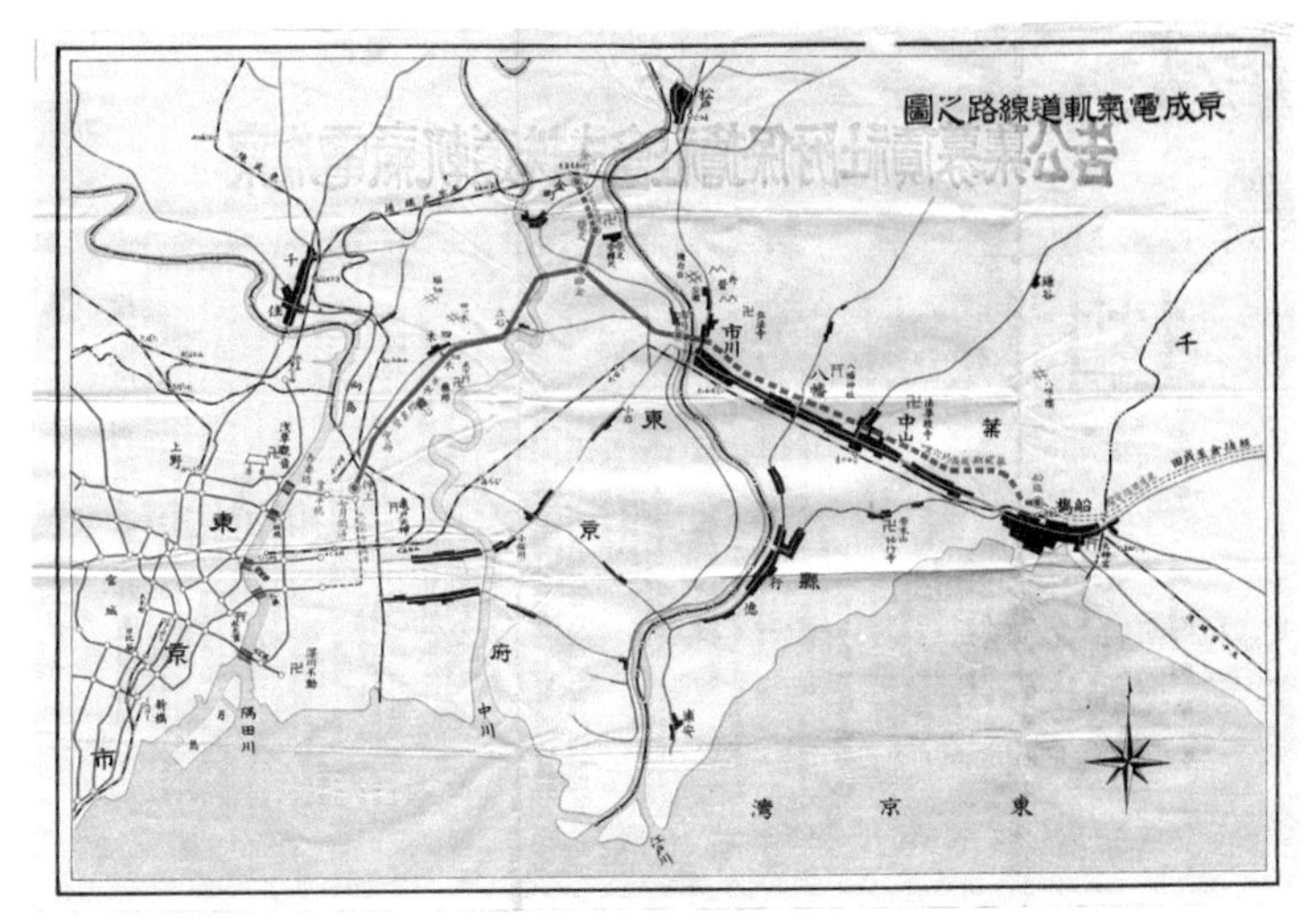

京成電氣軌道線路之図

1912年（大正元）、京成電氣軌道開業当時の中川に架かる鉄橋を渡る１形電車

1905年（明治38）頃の帝釋人車鉄道。柴又駅から江戸川方面を望んだもので、中央奥手に帝釈天の二天門が見える

その後、荒川放水路開削にともない、すでに開通していた曳舟駅から立石駅に至る軌道を、新たに放水路に架ける橋とそれに連絡する軌道に変更することになる。一九一二年に開業した立石駅と四ツ木駅はいまとはちがう場所にあり、四ツ木駅から立石駅間の軌道もちがうルートだった。残念ながらこの初代立石駅や四ツ木駅の建物や軌道、運行の様子を撮影した写真はまだ見つかっていないので、当時の様子は地図で確認するしかない。

一九二三年(大正一二)七月、荒川放水路の橋梁と新たな四ツ木駅から立石駅の軌道が完成した。その二カ月後の九月一日、関東大震災が発生し、首都東京の中心部は甚大な被害を蒙ってしまう。

震災復興と荒川放水路の完成

東京市域をはじめとする被災地の復興は、国が帝都復興院を創設し、後藤新平が内務大臣兼帝都復興院総裁として震災復興計画を策定し進められた。当初、大規模な区画整理と幹線道路、公園などの整備が立案されたが、予算は大幅に削減され、帝都復興院も一九二四年（大正一三）二月に廃止され、内務省の外局として復興局を設立して復興事業は引き継がれた。

東京市域には、昭和通りなど復興道路と呼ばれる幅員の広い幹線道路や広域避難のための隅田・浜町・錦糸町公園などの復興公園ができ、不燃化構造の鉄筋コンクリートの復興小学校が建設されていく。同潤会が組織され、各地に同潤会アパートが建設されるのも復興期の所産である。

こうした中で市域にくらべ荒川放水路以東の被害は少なく、罹災した人の多くが新天地を求めて荒川放水路にそった地域に移り住むようになる。荒川放水路の両岸地域は道路や鉄道などのインフラが再整備されたこともあって、罹災した人だけでなく産業も移り、工場が操業を開始する。通水間近だった荒川放水路は堤防などの施設が被害を受けたが、昼夜徹して工事を進め、一九二四年（大正一三）十月十二日に通水式をおこなっている。

京成電氣軌道が震災一週間後の九月八日までに全線で運転を再開したことも注目される。そのような早い交通機関の復旧も、荒川放水路開削によるインフラ整備とともに震災後の京成押上線沿線の開発を後押ししたと思われる。

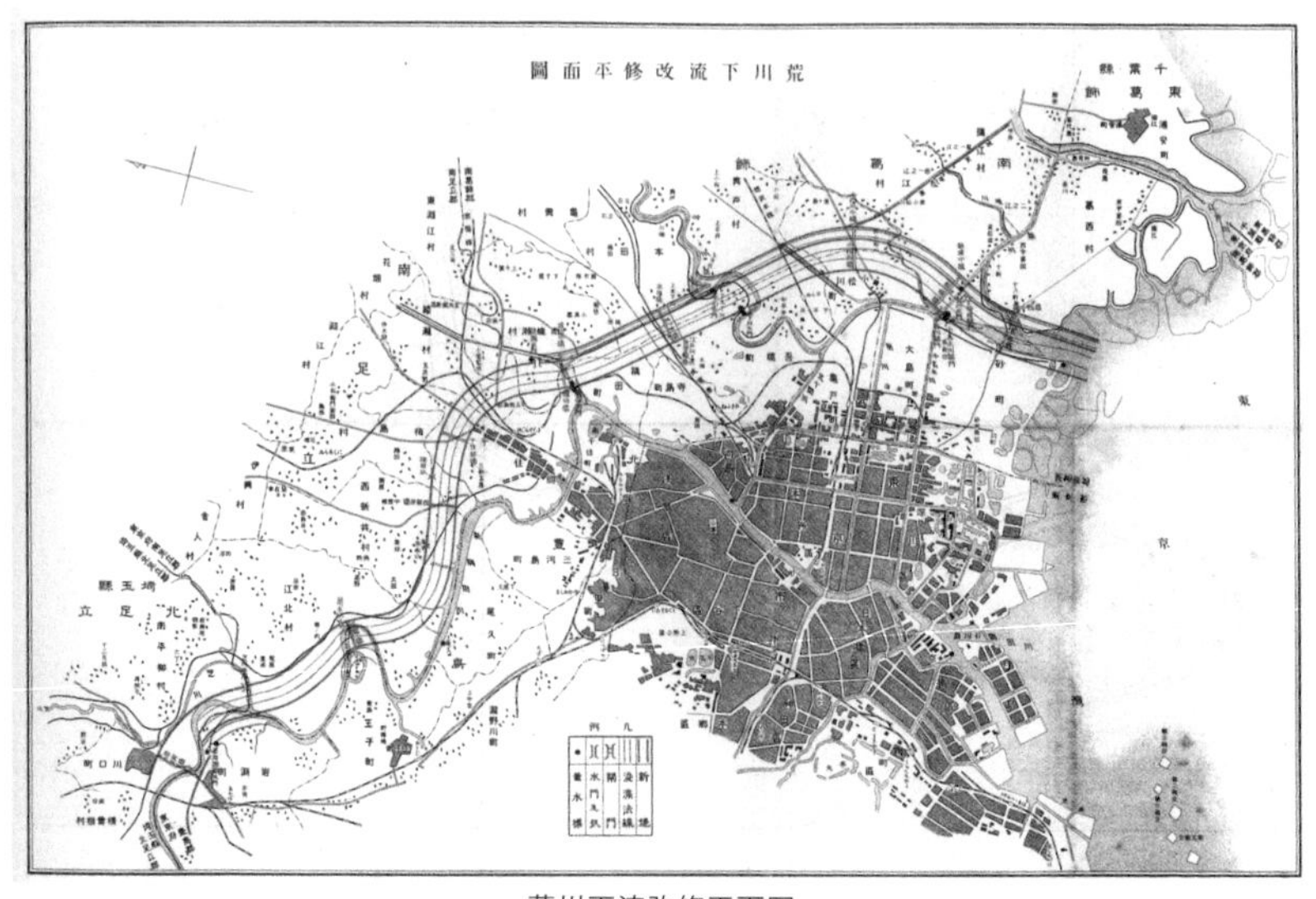

荒川下流改修平面図

現在の荒川

こうして一九三〇年（昭和五）三月二十四日に昭和天皇は復興した東京市を巡行し、三月二十六日には皇居二重橋前広場で昭和天皇臨席のもと帝都復興祭が挙行され、国は震災後の復興事業に一応の区切りをつけた。この年には、荒川放水路も附帯設備などの工事を終え、完成している。

関東大震災後の復興事業が一段落したのを受けて、一九三二年（昭和七）に大東京構想を実現するため、東京市はまわりの郡部を取り込み区制が導入された。これにより東京市の人口は約五〇〇万人となり、パリとロンドンを抜いて世界第二位の人口規模を誇る首都が誕生した。

この市郡併合により東京都南葛飾郡は解体して葛飾区が誕生する。誕生時、南葛飾郡本田町役場が新しい葛飾区役所となるのであるが、区役所の場所について立石と水戸佐倉道の宿場だった新宿とで綱引きがあり、決まるまで紆余曲折があった。最終的に立石に区役所が決まったことで、立石はその後の地域的な経済性や政治性を高めることになる。

葛飾区域の人口は、関東大震災の起こった一九二三年には三万六〇〇〇人だったのが、葛飾区誕生の一九三二年は九万人と、二・五倍にも膨れ上がっている。この急激な人口増加の背景は、先に記したように荒川放水路の開削により沿岸地域のインフラ整備が進み、震災によって整備された荒川放水路沿岸地域に大規模工場だけでなく中小の工場も進出したことがあげられる。その結果、労働人口の急激な増加をもたらし、飲食業や銭湯はじめ労働者を支える産業も発展していくことになるのである。

戦後復興と京成線
それでも立石駅は無事だった

一九四一年（昭和一六）十二月八日、日本はアメリカの真珠湾基地に奇襲攻撃をおこない世界大戦へ突入する。この戦争は、一九四五年（昭和二〇）八月十五日に日本が無条件降伏するまで継続し、人類史上最大規模の戦争となった。

一九四五年三月十日未明の東京大空襲は、荒川放水路以西の東京下町地域を焼け野原にし、多くの犠牲者を出した。荒川放水路以東の葛飾区は東京大空襲をはじめ空襲による直接の被害は軽微であったとよく説明される。しかし、戦時中の空襲による被害は葛飾区でもいたるところで発生したことを看過してはならない。

開戦後間もない一九四二年（昭和一七）四月十八日には、ドーリットル空襲と呼ばれるアメリカ軍から初の日本本土への空襲を受けている。空母ホーネットから飛び立った十六機のB二五が日本各地を空襲したが、その内の一機が葛飾区空に飛来して、水元国民学校に機銃掃射をおこなった。その銃弾によって高等科の石出巳之介君（一四歳）が死亡している。

一九四四年（昭和一九）七月にはサイパン島が陥落したことにより、アメリカ軍の大型戦略爆撃機B二九による日本本土への空襲が可能となり、日本各地への空襲が激増して

空襲で燃える葛飾区役所

1976年（昭和51）の京成曳舟駅

いく。葛飾区は何度も空襲に遭っている。一九四五年二月十九日の空襲では、現在のシンフォニーヒルズ（立石六丁目）のところにあった葛飾区役所が焼失するなどの被害があった。区内には白鳥に高射砲陣地が設けられ、いまでも高射砲のコンクリート製の台座跡が残存している。また柴又の山本亭には防空壕が残り、先の大戦の記憶をいまに伝えている。

それでも立石駅は無事だった。立石駅周辺では、詳細は不明だが、空襲による火災の延焼を防ぐために強制的に建物を取り壊して空地をつくる建物疎開が敗戦間際におこなわれたらしい。

東京大空襲後、荒川放水路以東に多くの罹災した人が避難してくる。立石地域にも関東大震災後と同じように、人だけでなく産業も移って

京成曳舟駅周辺の工場群。共和レザーの煙突が見える(右から2本目)。
この工場地帯を貫くように京成電車が通る。1961年(昭和36)

くる。ただし、ほかの地域といささか異なるのは空襲で焼失してしまった玉の井と亀戸の私娼街の一部の業者が立石に避難してきて開業していることだ。立石駅周辺が色街的雰囲気を漂わせるのは、東京大空襲に遠因があったのだ。

さて、敗戦を迎えた立石駅周辺では北側と南側に闇市などが設けられ、生活の活気を取り戻していく。ここで注目しなければならないのは、京成電氣軌道が空襲で多くの車両を失うなどの被害を受けていたが運行していたことである(一九四五年六月に社名を京成電鉄に改称)。立石駅が鉄道輸送の駅舎として機能していたということを見過ごしてはならないと思う。

電車が来なくては、駅があっても人や物資の動きはない。電車の運行があってこそ人や物資が集散し賑わいが創出される。戦後、日常生活に必要な食料・衣料などの必需品が欠乏し、物資の統制のため配給制度となった。そのため品不足を補うように、正規の配給ではない闇物資が出まわるようになる。立石駅周辺に簡易な店を構えた闇市が出現するのは、人と物資の集散する立石駅の求心性ゆえのことであろう。建物疎開跡地なども露店を構える格好の場所になったのであろうか。

このように立石駅は単独の存在ではなく、京成押上線沿線の駅のひとつとしてとらえることが重要である。立石駅や周辺の賑わいやまちの風景も、京成押上線という交通機関や周辺の駅との関わりの中で形成されてきたのである。それでは、おもに戦後の京成押上線の曳舟・八広・四ツ木・立石・青砥駅とその周辺の風景を私的な思い出とともに見ていきたいと思う。

京成曳舟駅（墨田区）

今は昔、高度経済成長期の京成線押上・立石間は、工場と宅地がつらなる風景が特徴的だったが、匂いも印象的だった。

地下にある押上駅を発車した電車はすぐ地上へ出て、住宅や工場の建ちならぶ間を走り抜け京成曳舟駅（以下、曳舟駅と略す）に着く。この曳舟駅に着いたことは目を閉じていてもわかった。

それは資生堂などの工場があり、近くでつくっている石鹸の匂いで周辺は満たされ、否応なしに電車の中にも入ってきたからだ。この匂いが曳舟駅界隈のランドマーク的役割をはたしていた。かつての曳舟駅はホームの幅が狭く、両側に大きな工場の建物がある細長い駅で、上りと下りのホームの両端に改札があるのが特徴だった。まるで工場の敷地の中にあるかのような駅だった。

一九六三年（昭和三八）に封切られた山田洋次監督の映画『下町の太陽』では、この曳舟駅近くの石鹸工場に主人公の寺島町子（倍賞千恵子さん）が勤めているという筋立てになっていた。この工場は、一九八三年（昭和五八）三月に幕を閉じ、その跡地は一九八七年（昭和六二）に墨田区曳舟文化センターとなった。

曳舟駅周辺は関東大震災や東京大空襲による災禍をまぬがれたため老朽化した木造建築物が多く、緊急車両が進入できない東京でも代表的な密集市街地だった。平成になって、京成押上線の連続立体交差事業を契機に再開発事業が進められ、二〇一五年（平成二七）三月に工事は終了する。京成押上線連続立体交差事業も二〇一七年（平成二九）三月に完了し、超高層棟や大型商業施設が建つ新しいまちの景観が出現した。

この曳舟駅周辺の再開発事業は、密集市街地を改善した代表的事業として『都市再開発法制定五〇周年記念』（公益社団法人全国市街地再開発協会・一般社団法人再開発コーディネーター協会）に紹介され、「鉄道高架下に飲食店や店舗等の生活利便施設や児童館等が整備され、新たな賑わいを見せて」おり、「防災機能の向上のみならず、商業・業務・住宅等の複合機能を導入することで地域の拠点性向上にも大きく貢献し、密集市街地におけるひとつのまちづくりモデルといえる」と位置づけられている。

いまここに暮らしている人は快適な生活を送っていると思うのだが、申し訳ないが私は再開発された曳舟駅周辺を好きになれない。まちの個性ともいうべき歴史の重なりを感じさせる記憶装置がないからだ。鼻腔を刺激するまちの匂いがなくなったことにこだわっているわけではない。たとえば隅田川以東の大衆酒場を代表する店のひとつ「三祐酒場」さんが、この再開発事業の中で店を閉じてしまった。閉店を知らせる張り紙には、再開発事業の進め方に対する批判が書かれていたことが、いまも私の脳裏に刻まれていて忘れられない。

かつて京成曳舟駅近くにあった三祐酒場本店。いまは八広店が三祐酒場の伝統を継承している（2012年撮影）

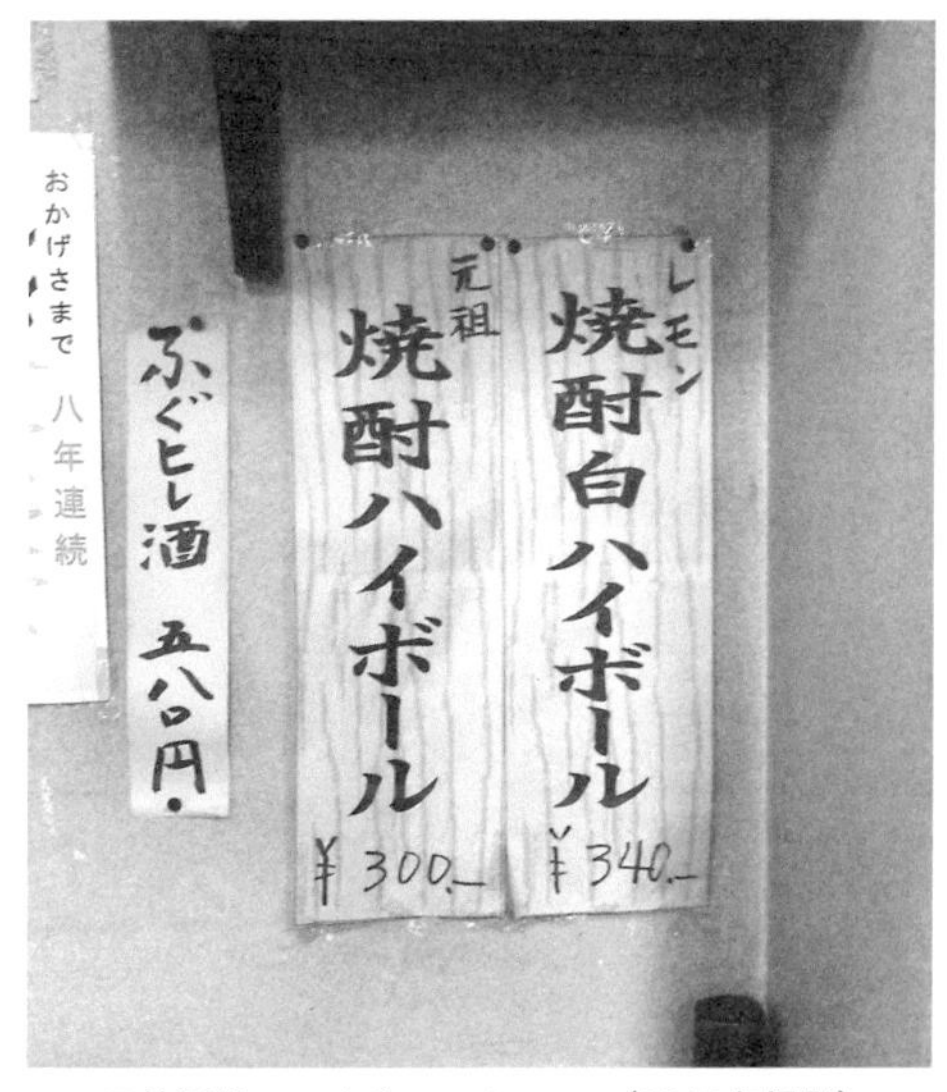

三祐酒場のハイボールメニュー（2012年撮影）

安心安全と防災を駆使した新しいまちが出現することを否定するつもりはない。しかし、過去を封印したかのように、あるいはなかったかのように、それまでのそこで営まれ形づくられてきた暮らしや文化、まちの顔つきを白紙にしてしまうのはどうかと思うのだが、このあたりでつぎの駅に向かわないと目的地の立石駅までたどり着けそうもないので筆を進めたい。

八広駅（墨田区）

曳舟駅を過ぎると、つぎは八広駅となる。曳舟駅よりも先に高架となり、二〇〇一年（平成一三）に新駅舎が完成した。

いまは駅名が八広駅となっているが、昔は荒川駅という名だった。荒川駅は荒川放水路開削にともなって一九二三年（大正一二）に開業した。一九九四年（平成六）に八広駅に改名されたのは、荒川区とまぎらわしいことが理由だとかいわれているが、そもそもなぜ「荒川」という駅名が採用されたのかということを忘れてしまった結果、このようなことが起こるのであろう。この駅名には、当時、国家的なプロジェクトとしておこな

かつての荒川駅。電車は「赤電」として親しまれた車両（1994年、澤村英仁氏撮影）

われた荒川放水路開削の記念碑的な意味合いがあったものと私は理解している。

「八広」という地名は、昭和三〇年代の住居表示実施により「吾妻町」「寺島」「隅田」のうちの八つの地域が合併したことから、「八」という末広がりの縁起のよい文字にあやかって採用されたのだ。町名自体が新しい産物である。

一概に古ければよいというものではないが、地名にはその土地の歴史的な営みの記憶がすり込まれていることが多い。その由来を気にもとめず、なおざりにして改名したりすることは、その土地の営みの時間を消し去ることになる。まちとしての記憶が失われてしまうのである。

八広駅になる前の荒川駅の印象は、小さくて静かな駅という感じだった。改札は、荒川放水路の堤防の天端（てんば）（堤防の一番高いところ）と同じ高さにあり、駅構内の踏切で下りホームへ移動したように思う。水戸街道沿いには高い建物があったかもしれないが、駅のまわりに高い建物はなく、見わたして目立つ構造物は工場と銭湯の煙突だった。荒川放水路の堤防が一際高く、まちを見下ろすような感じだった。

小学生の時に、少年野球でよく墨田区側の荒川河川敷のグラウンドで練習や試合をした。「静かな駅」という印象は日曜日にしか荒川駅を使ったことがなかったせいなのであろう。工場も休みで人影もなく、操業していないので煙も立たず、音も聞こえなかったので、「動」というよりは「静」的な佇まいというイメージを記憶しているのだろう。それと東京湾に通じる荒川放水路をさかのぼってかすかに漂う潮の香りが印象に残っている。

荒川駅にまつわる思い出として、小学生低学年の時、荒川放水路に架かる鉄橋を渡ったような記憶が残っている。ストライキで電車が止まることがあって、通勤・通学の人が鉄橋を歩いて渡ることがあった。いまでは考えられないことで、渡る切る前に電車が来たら轢かれてしまうし、その前に通報されて捕まるのが落ちだろう。当時はまだ電車の本数も少なく、日曜だったせいもあったのだろうか。はたして現実だったのか、幻想だったのか。でも枕木の間からはるか下を流れる濁った荒川放水路の水面を見たという印象を強く覚えているから渡ったのだろう。

荒川駅界隈というと、駅のある荒川放水路西岸には、滝田ゆうさんの世界が広がっていた。平成生まれの人は知らないと思うが、荒川駅と曳舟駅の北側に位置する現在の東武線東向島駅界隈は、かつて永井荷風著『濹東奇譚』の舞台となった玉の井という遊廓があった。漫画家の滝田ゆうさん（一九三一～一九九〇）はここで生まれ、玉の井の賑わいや悲哀を肌で感じて育った人である。

昭和四〇年代、谷口家では家族でＮＨＫテレビの「連想ゲーム」を見るのが一家団らんのひとときで、私は滝田ゆうさんのウィットに富んだ回答が楽しく、好感をもって見入っていた。大学生になると滝田ゆうさんの『寺島町奇譚』や『泥鰌庵閑話』『昭和夢草紙』などの作品を買い求めるファンになっていた。独特な繊細なタッチで描く街や暮らしの風景は、昭和という時代を見事に表現しており、なかでも生まれ育った玉の井の哀愁漂う風景描写は他の追随を許さぬ作品となっている。

滝田ゆうさんが『下駄の向くまま　新東京百景』で紹介している水戸街道沿いにあっ

た「美濃屋」は、親父が給料日などにたまに連れてってくれた至福の店だった。子どもの頃行った店は、座敷のまわりに水槽が連なり鯉などが回遊して水族館のようだった。まさにその日は特別な日、ハレの風景だった。

父は荒川区南千住の泪橋近くのタクシー会社に勤めており、明けの日などは友だちと「美濃屋」でよく飲んだらしい。私も就職してから仲間と何度かお邪魔したが、その頃には昔の設えはなく、高層マンションの一・二階で営業していた。

「美濃屋」の名物料理のひとつは泥鰌の地獄鍋であった。生きている泥鰌を客が自分で鍋に入れて食べるもので、玉子をといて目の前で成仏した泥鰌をつけて食べた。カルシウムとタンパク質豊富な栄養価の高い、夏バテの頃にはもってこいの名物料理だった。残念ながらいまは店を閉じてしまったが、滝田ゆうさんが絵解きをしているので、それを見ては当時の情景を懐かしんでいる。

いまは滝田ゆうさんを知らない人が多いかもしれないが、滝田ゆうさんの仕事のお陰で、戦中・戦後の玉の井界隈の様子を知ることができる。昭和という時代を顧みる時、きっとそのお仕事が再評価されるものと思っている。写真や映像だけでなく、滝田ゆうさんの漫画も京成線押上沿線の昭和の情景が確認できる貴重な作品群なのである。

「迷路への小径」。滝田ゆうさんが育った玉の井周辺の夕暮れの情景。永井荷風『濹東綺譚』の世界を彷彿させる

「わが町ふるさと」。私が育った頃の立石にもこうしたまちの面影があり、つい見入ってしまう

四ツ木駅（葛飾区）

八広駅から四ツ木駅へは、荒川放水路に架かる鉄橋を渡る。高架になる前の鉄橋は、一九二三年（大正一二）十一月に荒川放水路開削にともない架設されたもので、その後、地下水くみ上げなどによる地盤沈下で橋梁の桁下が堤防より低くなってしまって治水上の危険箇所となっていた。

それが原因なのか、一九八六年（昭和六一）と一九九一年（平成三）に鉄橋の橋桁にタンカーが衝突する事故が起こっている。一九九一年の時には、衝突の衝撃で橋梁上の上下線のレールが約四〇メートルにわたって曲がってしまい、路線は運行不能となった。すぐに復旧することができず、数日間荒川駅と四ツ木駅の間が運休となり、折り返し運転がおこなわれた。

事故以前から国と京成電鉄が協議し橋の架替えの協定が結ばれていたが、事故の翌年から架替え工事着手となった。橋梁のかさ上げにともなって荒川駅の高架化工事がおこなわれ、駅名が変更されたことはすでにふれた。駅の位置も約一〇〇メートル押上駅方面に移動して、二〇〇一年度（平成一三）に架替え工事と駅の工事は完了した。

四ツ木駅も、この鉄橋の架替え工事にともなって高架化工事がおこなわれている。改修前の四ツ木駅は、荒川駅と同じく、荒川放水路の天端と同じ高さに駅があり、放水路堤の際を通る道から階段で上る構造になっていた。

駅の北側の立石方面と連絡する道路に大きな商店街があって、かつては映画館や劇場などもあった。工場や宅地もあったが北側は賑わいのある商業地域であった。

一方南側は、工場と宅地が軒をならべ、地元では『綴方教室』の作者、豊田正子（一九二二～二〇一〇）さんが暮らしたまちとしても知られていた。

豊田正子さんは、本所で生まれ、父親はブリキ職人、母親と二人の弟の五人家族で、一九三一年（昭和六）に荒川放水路左岸の東四つ木に引越して暮らしていた。翌年、四つ木小学校から本田小学校へ転校し、担任の大木顕一朗教諭から綴方（作文）の指導を受け、これがきっかけで筆を執るようになる。一九三七年（昭和一二）、豊田正子さんの作品を大木教諭らがまとめ、中央公論社から『綴方教室』として刊行すると、その日常生活への観察眼の鋭さと表現の素直さが賛美されベストセラーになった。

翌年には、芝居や映画の原作として取り上げられ、映画『綴方教室』（一九三八年・山本

京成押上線荒川橋梁の状況

- 京成押上線荒川橋梁は、荒川放水路(明治44年着工)の工事の進捗に伴い建設が開始され、大正12年11月に完成。
- その後、地盤沈下の影響により橋梁自体も沈下。架替時には、計画高水位A.P.+5.13mに対して、橋桁の高さはA.P.+4.27mという状況
- 洪水時の河積阻害となることに加え、中小洪水でも流下物(船舶)などの衝突による被害が発生

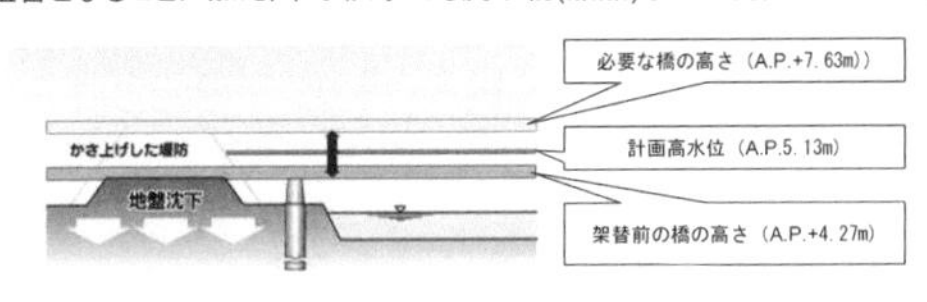

図-6 押上線荒川橋梁(旧橋)の状況

図-7 洪水時の衝突事故(昭和61年)

図-8 架替え前の状況

上／1950年代頃の四ツ木駅と「青電」(座間銀三氏撮影)
下／京成押上線荒川橋梁の衝突事故とその後の荒川橋梁架替事業を記した『事後評価「京成押上線荒川橋梁架替事業」資料8』関東地方整備局事業評価監視委員会

嘉次郎監督）では、高峰秀子さんが正子役で主演し、父親を徳川夢声さん、母親を清川虹子さん、教師を滝沢修さんという、当時のそうそうたる俳優が顔をそろえている。

『綴方教室』に収められた諸作品は、戦前の四つ木界隈でくり広げられた生活の様子を子どもの目線から見事に描写しており、当時の様子を知ることのできる記録といえる。また映画には当時の四つ木周辺の風景がふんだんに収められており、戦前の荒川放水路沿いの風景や暮らしの様子を映像として確認できる貴重な資料である。

駅の南側は、いまでも昭和の佇まいを残しており、『綴方教室』の面影を偲ぶことができる。駅近くの「玉子屋」は、いまは鉄筋コンクリート造りの大きな建物になっているが、料理メニューは昔ながらのものを提供している。鯉や鰻などの川魚も食べられるが、焼き鳥も大きく、玉子丼や親子丼も名物だ。残念なことに、一九八二年（昭和五七）に首都高速道路六号線の四つ木と足立区加平の間が完成し、店前の眺望はさえぎられてしまった。

四ツ木駅の南側には、かつて宝湯と呼ばれた銭湯があった。私は「宝温泉」として覚えており、母との思い出の場所となっている。まだ私が長い距離を歩けなかった二歳か三歳頃のことだったと思う。とにかく土手道を宝温泉にむかう記憶しかないのである。

私は疲れたのであろうか、歩けない。母は私の手を引いて、いや、引きずるように宝温泉を目指す。ただそのことだけが記憶にあり、宝温泉どころか、引きずられていく土手道のまわりの風景などもぜんぜん記憶にないのである。いまでも斜めになって引きずられていく自分のことが忘れられないのであるから、相当疲れてつらかったのであろう。何しろ目的地の宝温泉のことはなんら記憶にないのだから、行き着いた時には精根尽きてしまったものと思われる。

でも不思議なのは、目的地である宝温泉という名前だけは忘れずに脳裏に記録されていたのである。きっと私の頭の中では「このつらさ」＝「宝温泉へ行く」というような因果関係で記憶の引き出しに納められているのであろう。宝温泉の印象がないほど、私にとってはあのつらさの先にあった宝温泉とはどのようなところであったのかという、「なぞの温泉」としてかえって興味を引く存在にもなっていた。

博物館の展示の仕事で、二〇〇三年（平成一五）に『下町』（林芙美子原作、千葉泰樹監督）という映画の取材をした。この映画は四つ木を舞台とした物語で、荒川土手で三船敏郎と山田五十鈴が一緒に写るスチール写真を見た時、「これだ、この風景だ」と土手沿いの風景を懐かしく思った。この土手を引きずられていったのか……。そして、宝温泉の跡地を木根川小学校近くで見つけることもできた。まさに「宝温泉遺跡」というような佇まいだった。

それにしても、どうして母と二人して宝温泉へ出かけたのだろうか。いまとなっては、母に直接、宝温泉のことを聞くことができない。宝温泉のことだけでなく、母が山梨から嫁いで来た頃の葛飾の様子をもっと聞いておけばよかった。幼い頃のつらい記憶もいまは母を感じることのできる大切な思い出となっている。

駅の北側の賑わいのあった商店街は、道路の拡幅によって昔ながらの店は姿を消し、以前のような賑わいは失われてしまった。しかし、かつての賑わいを取り戻そうと、地元では四つ木出身のアニメ『キャプテン翼』の作者、高橋陽一先生にちなんで、さまざまな取り組みをしている。葛飾区でも地域の活性化を後押ししようと、いま私の働いている葛飾区産業観光部観光課が『キャプテン翼』の銅像を設置し、二〇一九年(令和元)には京成電鉄、集英社、葛飾区が協力して四ツ木駅を『キャプテン翼』のラッピングで特別装飾して話題となった。

残念なことに高度経済成長期生まれの私は『赤き血のイレブン』ファンで、『キャプテン翼』世代ではない。『赤き血のイレブン』は梶原一騎原作で、『週刊少年キング』に

宝温泉遺跡。正式名称は「宝湯」といい、東京低地名物の黒湯（化石水）の銭湯で写真の駐車場のあたりにあった。敷石は当時使われていたもの（2009年撮影）

銭湯の前には商店街が形成されていた。これも商店街遺跡と呼ぼうか（2009年撮影）

買い物客で賑わう昭和40年代の四つ木の商店街

連載されていたが、何と言ってもアニメで見た「サブマリンシュート」に魅了されてしまった。もしかしたら高橋陽一先生も私と同じ歳なので、『赤き血のイレブン』を見て影響された一人ではないかとひそかに思っている。

ちなみに私の小中学校の同級生が、都立南葛飾高等学校で高橋陽一先生と同級生で、同じサッカー部に入っていたので、同窓会でサッカー談義になると「高橋が……」と呼び捨てにして話をする。著名人を同級生にもっていいなと、うらやましくなってしまう。

青砥駅（葛飾区）

四ツ木駅を過ぎるとつぎは京成立石駅だが、ここでは本丸をトリにして青砥駅へ向かいたい。立石に住んでいると、浅草方面をいつも意識しているから、青砥駅は大きな駅だけど千葉県寄りの駅で、背後にある駅という印象だった。

通勤通学の人の利用が多い駅という印象で、駅の北側あたりだけは繁華な感じだったが、あまり青砥駅を中心に街が展開しているような印象はもっておらず、大きな青砥駅だけがそこにあるという感じだった。

いまの高架のホームになったのは一九八六年（昭和六一）のことだ。一九七三年（昭和四八）から工事をはじめたのでかなりの時間をかけている。京成線の開業当時、そもそも青砥駅は設置されていなかった。一九三一年（昭和六）に、現在の京成本線にあたる日暮里駅―青砥駅間が開業するが、それに先だって一九二八年（昭和三）に押上線との接続分岐のために設けられた駅である。

博物館に勤務していた時に、住居表示は「青戸」なのに、なぜ駅名が「青砥」なのかとよく問い合わせがきた。「青砥」という表記は、鎌倉時代の名判官と知られる青砥藤綱からきている。青砥藤綱は、幕府の役人でありながら幕府に偏らない公平な裁判をする廉直な人物として、江戸時代に庶民のヒーローとして人気を博し、歌舞伎や錦絵にも描かれている。環状七号線道路が水戸街道（国道六号線）と交差する陸橋の南側付近が藤綱の館跡と伝わるところで、戦国時代の葛西城が築かれたところでもある。

しかし、歴史的に「あおと」地名を追ってみると、もっとも古い史料は奥州平泉の中尊寺に所蔵されていた。この地域を治めていた葛西氏が、平泉にある所領を管理するため代官として「青戸二郎重茂」という人物を派遣していることが永仁二年（一二九四）の文書に記されていた。武士は、本拠の地名を苗字として名乗るため、この青戸氏は「あ

1960年（昭和35）の青砥駅

1984年（昭和59）の青砥駅。左側の建物が京成名画座で、青砥駅とは2階で連絡していた

おと」を本拠とした武士で、この時すでに「青戸」と表記されていることが確認できる。「青戸」の「戸」は、本来「津」(船着場)のことで、「青津」が「青戸」に転訛したことがうかがえる。それを裏づけるように、松戸市の本土寺に伝わる中世の過去帳に「青津」と記した史料もある。

もともとは「青津」が転訛して「青戸」となったが、江戸時代に青砥藤綱人気とともに「青砥」が用いられるようになり、二つの表記が混在するようになっていく。ただし、青砥藤綱は近代になって修身の教科書にも登場するため、地元のヒーローとしても顕彰されることとなり、駅名をつける時に地元からの強い要望もあって「青砥駅」となった。現在は、地名表記は「青戸」、橋梁などの施設名には「青砥」があてられ、使い分けがされている。

青砥駅の思い出は京成名画座を抜きにしては語れない。青砥駅の北側から改札口へは、この京成名画座の前の階段を通るようになっていた。一階が喫茶店で、二階が映画館だった。駅の立体化工事が終わった後もしばらく上映していたが、一九九八年(平成一〇)頃閉館してしまった。

立石や四つ木にも映画館があったが、中学生になった頃には激減し、ロードショーで見られない話題作が青砥までまわってくるのを楽しみにしていた。確か二本立てで三〇〇円程度だったと思うが、学生にとってはリーズナブルに楽しめる娯楽施設だった。

いまでも印象に残っているのは、『神田川』と『赤提灯』の二本立てを見たことだ。思春期まっただ中だったので、『神田川』では大人の世界への憧れ、『赤提灯』では大人の世界の怖さを感じた。『赤提灯』で秋吉久美子さん演じる妻が、鶏嫌いだったのに最後にこころを病んで鶏肉にむしゃぶりつく姿が怖かった。チャップリンの『黄金狂時代』などの一連の作品を見たのも青砥の京成名画座だった。

飲み屋は、「みどり寿司」が別格の存在だった。親父さんと若旦那の二人で切り盛りし、立ち食いではなく、カウンターとテーブル、奥には座敷のある普通の寿司屋なのに、握り寿司が六〇〇円と安かった。学生でも千円あればビールと寿司が堪能できた。握りの前に盛り合わせをよく頼んだ。上と特上があり、上でもやはり六〇〇円程度だったと思う。家族でもよく行き、混んでいて入れない時は、お土産にして持ち帰ったりしたものだった。

安くてうまいと評判で、地元はもちろん、遠くからもお客さんが来て繁昌していた。就職してから一人カウンターに座りビールを頼んだら、となりに私を採用してくれた時の人事課長が座っており（その時はもう部長だったと思うが）、予期せぬ驚きと極度の緊張が走り、ビールをついだグラスを落としそうになったことがある。「谷口さんは、私が人事課長の時に採用した人だね」と声をかけてくれた。採用した人の顔を覚えているとは、「やられた」と一瞬にして仕事への取り組み方と深さを思い知り、背筋がピンと真っ直ぐになった。その後のことは冷や汗ものでよく覚えていない。

「みどり寿司」は、いまは場所を変えたが、青砥駅近くにあり、親父さん亡き後、若旦那（といっても、もう還暦をすぎているが）が暖簾を守っている。

そうそう、高度経済成長期の青戸を語るうえで忘れていけないものがあった。青砥駅の北西に「青砥ミュージック劇場」というストリップ劇場があった。駅の繁華な場所から少し離れた住宅街にそれはあった。

現在では、教育上とうていあり得ないことだが、なにしろ通っていた区立大道中学校の水戸街道近くの通学路や中学校から青砥駅の間の道沿いにも上演を知らせる看板があって、日常的な風景になっていた。『赤提灯』や『神田川』を見る思春期の私や友人たちは、看板に画かれている「〇〇ショー」という文字だけで想像をたくましくして赤面していた。大人になったら行ってみたいと思いながら、いつしか消えていってしまった謎のトポスだった。
最近、偶然古本屋で見つけたのが、右のチラシである。中学生の妄想的存在ではなく、本当にあったのだ。これを見つけてから跡地の近くを通ると、中学生の頃の高揚感をかすかではあるが感じることがある。もう半世紀近く前のことになってしまったと、時の流れの速さを恨んでしまう。

地方では見られぬ！
関西ヌードショウ
専門
常設
開場11時～開演12時
入替なし・年中無休
ヌードショウ常設
青砥ミュージック劇場
国内無双の
お色気ヌード劇場！
それが当青砥ミュージック劇場で御座居ます
新鮮な美女のやわ肌！悩殺！興奮の激突！
一度見たらもう忘れられない……
それが青砥ミュージック劇場です。
殿方の一番のお楽しみ、手軽でそして最高のムードを誇る、エロティックの殿堂。当青砥ミュージック劇場を大いに御利用下さいませ。
お色気が一番
罪がありませんよ。ね

ショウ交替日	1	6	11	16	21	26

東京都葛飾区本田中原町108 (601) 0607

青戸の古本屋さんで見つけた「青砥ミュージック劇場」のチラシ。本屋や古本屋さんは、セレンディピティの宝庫だ。予期せぬ発見・出会いで、探していた本のことを忘れてしまうこともしばしば。このチラシはまさにそのような一品。昼から開演していたなんて知らなかった

京成立石駅

（葛飾区）

いよいよ本丸の京成立石駅（以下、立石駅と略す）である。すでにふれたが、初代の立石駅は一九一二年（大正元）、京成押上線の創業時に開業し、もう少し青砥駅寄りの西円寺裏手あたりにあった。いまの立石大通りに軌道があり、都電荒川線の梶原駅〜町屋駅間のように道路と併走するような軌道であった。この時期の立石のまち場の中心は中川と初代立石駅の間であった。

荒川放水路開削にともない荒川駅と四ツ木駅を結ぶ鉄橋が架設されると現在の専用軌道へ移動した。この時にできたのが現在の駅の場所である。その後の立石のまちの開発は、この駅を中心に広がることになる。

一九四七年（昭和二二）九月に東京下町の荒川放水路以東に甚大な被害をもたらしたカスリーン台風により洪水に襲われた駅舎の写真があるが、駅名がローマ字表記になっている。まだ日本がＧＨＱの占領下であったことがわかる。

左頁上の写真に写っている駅舎が私の幼い頃の見覚えのある風景である。

立石駅は1968年（昭和43）にホームの延長と2階建ての橋上駅に改修工事がおこなわれた（下）。上の写真はそれ以前の立石駅

北側の改札口から私は乗るのであるが、改札口でキップにハサミを入れてもらうのが好きで、いつも親の分までキップを預かってハサミをリズミカルにチャキ、チャキ鳴らして待っている駅員さんに渡したものだった。自動改札機しか知らない世代には、なんのことだか見当がつかないことだろう。

その頃は改札口から数段の階段を上ればすぐにホームだったが、一九六八年（昭和四三）の駅舎の改築で立体式になり、ホームも四ツ木駅側に延長された。この時、下りホームの四ツ木駅寄りのところに名所案内を兼ねて、地名の由来となった「立石様」のモニュメントが設置された。本物の立石様は、立石八丁目の児童遊園に鎮座しているのだが、そのことを知らない人がホーム上の立石様のモニュメントを本物と思い込んで写真を撮っている風景をよく見かける。

立石駅周辺は、区役所や葛飾警察署、本田消防署、葛飾税務署などの公共施設のほか、金融機関、社屋、大・中・小の工場が建ちならび、高度経済成長期には昼間はアーケードなどの商店街には買い物カゴを手にした客があふれ、夜は労働者で賑わう繁華な場所だった。

当時の立石の雰囲気を伝えるには、つげ義春さん（一九三七〜）の漫画や書き物がうってつけだろう。「ねじ式」など独特の陰影のあるタッチで描く漫画は病理的とも称されたりもするが、二〇二〇年にヨーロッパ最大の漫画の祭典である第四十七回のアングレーム国際漫画祭で特別栄誉賞を受賞するなど熱狂的なファンも多い。

つげ義春さんは、中川沿いの船宿で生まれ伊豆大島で育ったが、父親が亡くなり、六歳の時に再び立石に移り住んだ。本田小学校に通い、卒業後は近くのメッキ工場に勤め、漫画家を目指しデビューする。紆余曲折あって、一九六四年（昭和三九）に創刊された、いまや伝説となっている『ガロ』誌上に作品を発表して注目される。一九六八年（昭和四三）に『ガロ』に発表した「ねじ式」が大きな反響を呼び、つげさんの代表作となっている。

つげさんが描いた立石のまちの風景の一端は、「大場電気鍍金工業所」（『漫画ストーリー』一九七三年）でも確認できるので興味ある方は見てほしい。できれば、つげさんの実弟つげ忠男さんの「昭和御詠歌」（『ガロ』一九六九年）も合わせて紐解いていただくとリアルさが増すと思う。

私が戦後の立石というまちを特徴づけるキーワードであり、ランドマーク的存在と思っているのは、『新版つげ義春とぼく』の「断片的回想記」にも書かれている、立石

立石駅ホームにある「立石様」のモニュメント（2015年撮影）

にあった「血液銀行」である。

この「血液銀行」の正体は、日本製薬が一九五〇年代から国策による輸血用の血液採血を実行するため、本社ビルのところに国民からの売血を受ける施設「ニチヤク血液銀行」を開設したものであった。一九九〇年（平成二）九月三十日に、売血制度が完全に廃止されるまでは日本製薬葛飾工場として存続した。

昭和三〇年代前半、血液銀行にやって来た売血者は、一日六〇〇〜八〇〇人、まれには一〇〇〇人を超える日もあったという。つげ義春さんだけでなく、作家の五木寛之さんも一九五二年（昭和二七）から五三年（昭和二八）にかけて売血して生活費を捻出しようと立石まで通ったことを『風に吹かれて』『黄金時代』などの作品に書いている。そして現在、血液を売買していたところが血税を扱う葛飾税務署となっている。たんなる偶然の産物なのであろうか。いや、これこそが「地霊（ゲニウス・ロキ）」なのである（「地霊」については次章でくわしく見ていこう）。

立石駅を利用する人の中には血液を売ってその日を凌ぐ人もいた。その人たちは立石駅を下車すると「血液銀行」のある北東の青戸方面に足を向けるのであるが、その方向とは異なる人の動きもあった。それは立石駅を下車して西に向かう人たちで、それも朝よく見られた風景だった。西に向かった人たちの目的は、もうひとつの立石というまちを特徴づけるキーワードであり、ランドマーク的存在である「職業安定所」であった。

梅田小学校に通っていた頃、「職業安定所」近くにもんじゃ屋さんがあった。学校が終わって友だちと一緒に行くと、仕事にあぶれた人が「職業安定所」付近にたむろしていたので少々怖かった。

日銭を得た人、得られなかった人も、立石の飲み屋の暖簾をくぐる。中山競馬場で有り金をすってしまった人も立石駅で下車して、もつ焼きと焼酎で一杯やってから帰る。そういう行動パターンがあった。というよりも、そのようなさまざまな人々のニーズにあわせた商いを立石の飲食店がしていたといったほうが適切かもしれない。

代立石駅の情報を得ることができるだろう。それは立石の歴史に一頁を加え、きっと新しいまちづくりに活かせるだろうにと、通るたびに思いながら工事現場を見つめている。左の写真の線路左側の更地になっているところ、戦時中の建物疎開もこんな風景だったかもしれない

京成立石駅の２階から青砥駅方面を望む。右／2009年（平成21）撮影、左／2020年（令和2）撮影。見くらべると駅北側（左側）の高架化工事が進んでいる様子がわかる。写真奥の軌道がカーブしたところに初代の立石駅があった。発掘調査すれば駅の基礎などが見つかり、初

立石駅近くの飲み屋さんを多く人たちが利用した。それは京成押上線という鉄道沿線の労働人口の多さとともに、立石駅近くの「血液銀行」と「職業安定所」の存在が大きい。このようなトポスがあったゆえ、労働者にとっての至福の場「千ベロの聖地」としてのまちの顔つきが形づくられていったものと考えられる。

労働者のもつ焼き片手に焼酎をあおる姿が消え、若者が遠路スマホを片手に通う立石の現在の賑わいは、平成から令和へ時代が変わり、昭和が遠くなったということだけではなく、「血液銀行」と「職業安定所」が姿を消したことによる必然といえる。

6

立石の地霊

玉垣の中に、地名の起こりとなった「立石様」が鎮座している

「ゲニウス・ロキ（地霊）」——これは建築学者の鈴木博之氏が都市を読み解くキーワードとして注目したことばで、その土地のたんなる特徴でなく、深く刻み込まれている歴史に目を向けようとする視点を込めている（鈴木博之『東京の地霊』）。私も本書の最後の章にあたって、鈴木氏の見方になぞらえて、なぜ立石が千ベロの聖地となったのか、その地霊を追ってみることにしよう。

立石のまちの顔つきは、じつは古代から育まれてきた立石地域の地域的特性であることを物語っている。ここでは「立石様」でそのことを見ていく。

葛飾区立石八丁目三七番地にある立石児童遊園内に、四方を玉垣でめぐらした一角がある。玉垣の中には、立石の地名の起こりとなった「立石様」（東京都指定史跡）が鎮座している。ここを訪れた多くの人が、「思ったよりも小さかった」とか、「なーだ、こんなものか」と期待を裏切られた想いを口にする。

立石様。玉垣にかこまれた中に鎮座している
（2008年撮影）

さもありなん。しかし、そのような想いを抱きながら「立石様」から離れて逍遥しては、せっかくの学びの好機を逃してしまう。立石、いや東京下町の時間的重なりを理解する入口に来ているのに、そこで深掘りせず思考を止めてしまってはもったいない。本書を手にした人を東京下町のタイムトリップにご案内したい。

立石様がある葛飾区は、東京都の東部、武蔵野台地と下総台地の間に広がる東京低地とよばれる低地帯の一角にあり、区の東側を画する江戸川を境として千葉県と接している。立石様の鎮座する立石児童遊園は、京成立石駅から東へ約七五〇メートル、青砥駅から南へ約六五〇メートルの距離にあり、中川右岸に形成された海抜〇・五〜一メートル足らずの自然堤防とよ

立石熊野神社。私は3歳から5歳までここの幼稚園に通った（2015年撮影）

五方山南蔵院。小学生の頃、先代住職の奥様のご配慮で、寺の所蔵している考古資料を何度も見学させてもらうことができた（2020年撮影）

ばれる微高地上にある。

「立石様」の東一〇〇メートルほど先には永享元年（一四二九）に賢寛が中興したとされる真言宗の南蔵院、さらに南蔵院の北東一〇〇メートルほど先には長保年間（九九九～一〇〇四）に安倍晴明が創立したと伝わる立石地域の鎮守立石熊野神社がある。陰陽師として名高い安倍晴明ゆかりの神社ということもあって、万物は火・水・木・金・土の五種類の元素からなるという五行思想と相まって社地が五角形をしている。

明治以前の神仏習合の時代、南蔵院は立石熊野神社の別当寺であり、両寺社は不可分な存在で立石様を守ってきた。五方山という南蔵院の山号も立石熊野神社との密接な関係がうかがえる。

「立石様」の鎮座する児童遊園は、現在は関東財務局の所有地で、葛飾区が占用許可をもらって児童遊園として整備管理しているが、玉垣でかこわれた立石様はいまでも立石熊野神社により祭事が執りおこなわれ、地元の宮元町会の人々によって守られている。

「立石様」に関するもっとも古い記録類は、安永年間（一七七二～八一）に著わされた『武蔵野古物』や『武蔵演路』などの地誌で、「立石大明神」と図示されていたり、疱瘡に御利益があるとされるなど、摩訶不思議な奇石として紹介されている。江戸近郊の名所として知られた存在である。
ここでは、『四神地名録』と『江戸名所図会』から「立石様」の記述を抜粋して紹介してみたい。

〔史料二〕『四神地名録』「七之巻　葛飾郡　立石村」

此村に立石と称せる奇石有り、是によつてむかしは近郷四五ヶ村の村名とし、立石村といひしよし、分郷となりしより、いまは此村のみを立石村と称せる也、名主の云、此の石は寒気にいたむ石にて、寒中には爰かしこ欠(カゲ)そんじ、春へこし暖気をもやふす頃よりそろそろと欠しし(ママ)所ふくれて元の形となるよし。立より見しに名主のいへることとく、欠損せし跡より木のこぶのごとくにふくれてあり。夏中には全く本の石になるよし、奇石といふべし、石質至而の麁石にて、砂に沼(泥)を交へて作りしやふの鼠いろも和らかなる石也。按に活蘇石なるべし、僕いまた活蘇石の真物を見ず。物語りに聞きし事なれば、慥に活蘇石とも名つけがたし、諸州に生石(ヲ)はまゝ有るものにて、常陸国鹿嶋のかなめ石と称せるも生石也。俗に根有り石といふて、幾丈ほりても石の根有りて、こんりんざいよりも生へ出しよふに思はるゝ石也。此立石も根ふかき石と云。寒中に欠落て、夏中に元のことく愈合ふ石なれは、活蘇石というても無理からぬ石也。

――『江戸地誌叢書巻四　四神地名録・四神社閣記』有峰書店

［史料二］『江戸名所図会』「巻之七　揺光之部　立石」

立石村五方山南蔵院といへる真言宗の寺境にあり。地上に顕れるところわづかに一尺ばかりなり。土人相伝へて、石根地中に入ること、その際まりをしらずといへり。石質弱らかにして、その色世間に称する鞍馬石に似たり。この石、寒気を帯ぶればここかしこ欠け損ず。されども春暖の気を得るときは、また元のごとしといへり（古へは、この石より近郷四、五箇村の名とせしが、分郷となりしより後はこの村のみを立石とよべりとぞ）。

――古市夏生・鈴木健一校訂『新訂　江戸名所図会』巻之七揺光之部　筑摩書房

［史料一］は、一七九四年（寛政六）に旅行家・地理学者の古川辰（古松軒）が幕府の命で江戸近郊の豊島・多摩・荏原・葛飾・足立郡を踏査してまとめた地誌で、［史料二］

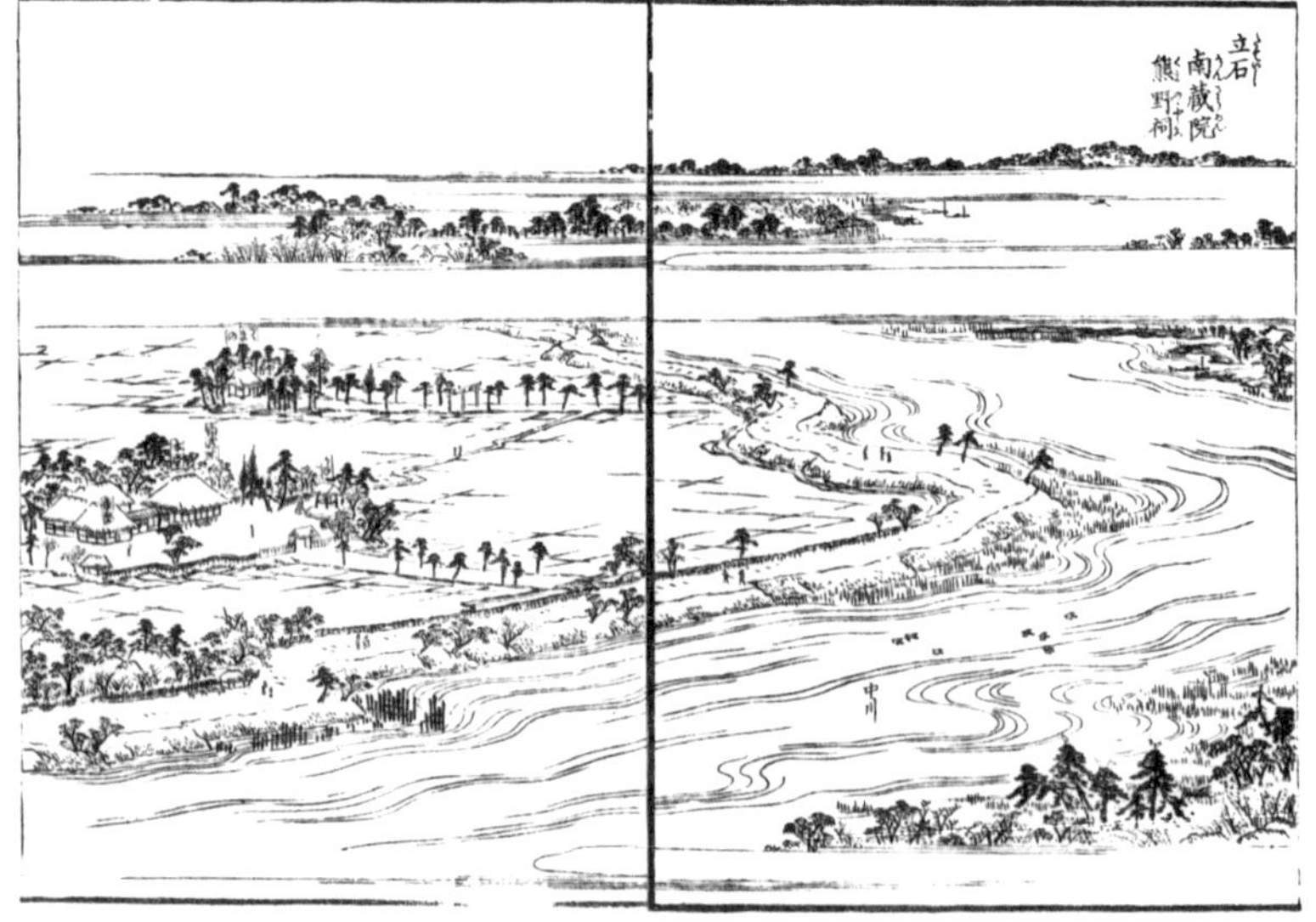

『江戸名所図会』より、上は「立石村立石」。地面より石が出ている。下は「立石南蔵院 熊野祠」。中川右岸の自然堤防に南蔵院（左）と熊野神社（南蔵院の上方）があることがよくわかる

は一八三六年（天保七）に刊行された、神田の町名主の斎藤幸雄・幸孝・幸成の三代が著した江戸の地誌で、江戸と江戸周辺のガイドブックとして人気を博したものである。

二つの史料によると「立石様」は南蔵院の寺境にあり、もとはこの石の名を冠して立石村という大きな村であったが、その後分郷されいまの立石村になったとしており、この「立石様」が村名や地名の由来であったことがわかる。

「立石様」の容姿は、地上にわずか一尺ばかり出ているとあるから、現在の寸法でいうと三〇センチほどが地表に出ていたことになる。石質は、砂と泥の混じったような粗くやわらかで、鼠色を基調とし、庭石に用いられる京都鞍馬山で産する鞍馬石に似ているとする。

名主によると、この石は寒くなると欠けて、暖かくなると元に戻るという。生きている石ということから諸国で「活蘇石（かっそせき）」とよばれている類いのもので、鹿島神宮の「要石」も同類の石であるとする。

また地元では、この石が地中深くどれだけ埋まっているのか知れず、石の大きさがわからないと記されている。古川辰は、石の根が地中深く続いている「根有り石」ともよばれるもので、大地の最下層を意味する仏教用語である「こんりんざい（金輪際）」から生えているようだと表現している。つまり、「立石様」は「活蘇石」「根有り石」として神聖視されていたことがわかる。

じつは、『江戸名所図会』の「立石」の紹介は、『四神地名録』を略記したものである。内容は『四神地名録』のほうがくわしいが、『江戸名所図会』には「立石様」の挿図が添えられているので当時の様子がわかる。図を見ると、田圃の中に島状の高まりがあり、中央に地表から突き出た石が描かれている。現在とは、異なった容姿であるが、これが「立石様」である。

「立石様」は、祟る神様としても知られていた

「立石様」は、祟る神様としても知られていた。一八二五年（文政八）に曲亭馬琴らが編集した江戸後期の随筆集『兎園小説』によると、地元の名主新右衛門らが耕作の便をよくするために石を掘ったが「思いの外に根深く入りて、その根を見ず……、翌日ゆきて見れば、掘りしほど石ははるかに引き入りて、壱尺ばかり出でてあり。この幸いのことぞて、そがまま埋みて帰りぬ。又その次の日ゆきて見れば、石おのれと抜け出でて、

地上あらわれること、元の如し」であったため「且驚き且あやしみ、その凡ならざるをしりて」祀りをするようになったことが記されている。立石村の『明細帳』には、「立石様」を掘ったことによって「疾大に行はるゝ」とその災いについての記述が見える。私が重要だと思うのは、事の真偽ではなく、なぜこのような奇談が生じ、また語られてきたのかということである。その背景として考えられるのは、この地域ならではの土地柄が大きな要因だと思うのである。

葛飾区をはじめ東京下町の地べたは、縄文海進による海水面の上昇で海原になったところに、上流から運ばれてきた土砂によって形成された沖積地である。そのため地表の堆積土には基本的には岩や礫が存在しない。

なぜ「基本的」という言葉を使ったかというと、元小田原北条氏の家臣で江戸の商人となった三浦浄心（茂正）が幕府成立期の江戸の様子を著わした『慶長見聞集』の「武蔵と下総の国堺の事」の中で、隅田川右岸の武蔵国側の浅草付近の河原には石があり、浅草の子どもと対岸の牛島の子どもが「印地」をおこなっていたという記述があるからだ。「印地」とは「印地打ち」ともいい、石を飛礫として投げあう行事のことである。この記載からわかるように、東京下町の表層のごくかぎられたところに石が含まれている場合もある。

それはそれとして、一般的に東京下町の地表には石は含まれていない。したがって「立石」という地名があること自体、イレギュラーなことだといえる。本来、東京下町では石は日常的に存在しないものであり非日常的な存在であった。

その証として、石を信仰の対象として崇める事例が東京下町に認められる。現在も「立石様」を守っている立石熊野神社は、地元で見つかったという石剣あるいは石棒ともよばれている石を御神体にしている。そのほか荒川区にある素盞雄神社は瑞光石を、江東区亀戸にある石井神社でも石を御神体として祀っていて（いまは失われたという）、石を聖的な存在として崇める地域性がうかがえる。

このような土地柄なので、葛飾に暮らす人々は地上に露出していた石を摩訶不思議な聖的な存在として、「立石様」と崇めたのであろう。

その一方で、「立石様」を打ち欠いて疱瘡除けなどのお守りにする行為が絶えなかった。江戸時代の諸書に見える「立石様が寒気に欠ける」というのは、「立石様」を日常的に目にしていない人の記録であり、季節云々というよりも、人為的に立石様を打ち欠いて破片を入手した行為後の状況と想定されるのである。日露戦争時には弾除けのお守

柴又八幡神社社殿下に復元保存されている古墳石室。
貝の生痕が特徴的な肌をしている（2019年撮影）

素戔雄神社境内の瑞光石。柴又八幡神
社古墳の石材と同じ肌合いをしている
（2020年撮影）

りとして打ち欠いて戦地に持って行ったという記録も残っている。「立石様」が祟る神様とされるのは、打ち欠く行為から守るための物語、防御装置と見てよい。その結果、強い神様として周知され、畏敬の念から「立石様を掘るとバチがあたるぞ」とか「中川が蛇行しているのは立石様を避けたからだ」とか「立石様は青砥駅までその根が続いている」という話が流布し、現代まで語り継がれてきたのである（くわしくは谷口榮「立石様研究ノート」『博物館研究紀要』五号をご覧ください）。

なぜ「立石様」という石が存在するのであろうか、立石様の正体とは

先にふれたように、この地域は上流部からの土砂によって形成されたデルタ地帯で、自然の岩が地表面に紛れ込む環境ではない。したがって「立石様」はもともと本地域にあった自然石ではない。なぜ「立石様」という石が存在するのであろうか。

この石の性格については古くから議論になってきた。考古学者の鳥居龍蔵は「古代の

メンヒル（立石を信仰の対象として崇めたもの）」とし、三囲神社の宮司で國學院大學の教授であった永峰光一氏は「古墳石室説」、地理学者の木下良氏は「官道の標識的なもの」ではないかと自説を披瀝している。

立石様の石質は柴又駅近くにある柴又八幡神社古墳の石室の石材と同じ凝灰岩である。「磯石」とも呼ばれ、火山灰が水中で堆積してできたもので、貝の生痕を残す特徴的な石である。柴又八幡神社古墳のほかにも北区の赤羽台古墳群の三・四号墳、千葉県市川市の法皇塚古墳、遠くは埼玉県行田市の将軍山古墳の石室にも使われていることが知られている。

この「磯石」は千葉県の鋸山周辺の海岸部で産出する。古墳時代後期に古墳石室の構築材として切り出され運ばれてきたわけだ。永峯光一は「立石様」は古墳の石室の一部であると考えたが、「立石様」周辺を調査したところ、「立石様」や玉垣の外側に石室は遺存しておらず、古墳の痕跡も認められなかった。では、その古墳はどこに築かれたのだろうか。

「立石様」から東へ一〇〇メートルの場所にかつて南蔵院裏古墳と呼んでいた古墳があった。私は「立石様」はこの南蔵院裏古墳の石室の部材の一部だったと考えている。

南蔵院裏古墳から出土した人物埴輪の頭部埴輪は松戸市の栗山古墳群出土の人物埴輪とよく似ている。南蔵院裏古墳と栗山古墳群は同じ時期の古墳で、栗山古墳群には「磯石」を用いた石室があることから、南蔵院裏古墳も「磯石」の石室であった可能性が強い。

このように「立石様」は古墳時代後期の六世紀後半、南蔵院裏古墳を築造する時に、房総の鋸山海岸部から石室の石材として持ち込まれた磯石と考えられるのである。

これで話は終わりではない。本来、古墳石室の石材として運び込まれた石が、なぜ・

南蔵院裏古墳から出土した人物埴輪の頭部（鳥居龍蔵『上代の東京と其周圍』より）

大道橋の親柱がいまも残っている（2011年撮影）

いつ「立石様」に姿を変えたのであろうか。
最近の研究では、東京下町を横断するように墨田区墨田から江戸川区小岩を結ぶ古代東海道が葛飾区立石付近を通過していたことが明らかとなっている。この古代官道との関わりが注目される。

なぜならば古代官道の推定路に「立石」という地名が多く遺存しているからである。官道の分岐点や施設などを知らせるサインとして石を道しるべとして設置することがあり、そこを「立石」と呼んだのである。

立石付近は、中川（旧葛西川）の渡河地点でもあり、分岐点あるいは渡河施設などの官道に付随する諸施設があったと考えられる場所である。おそらく「立石様」は、もともとは古墳の石室の石材として持ち込まれた石を、奈良・平安時代に古代東海道を通す時に道しるべとして転用したものと考えられるのである。

現地で「立石様」を観察すると、長軸の南北方向に走る節理面が確認できる。磯石は堆積岩なので地表面に対して立つように埋まっていると判断できる。まさに立石状であり、古代東海道に関連する道しるべとした石であることから「立石」と名づられたのであろう（谷口榮『東京下町の開発と景観』古代編・中世編）。

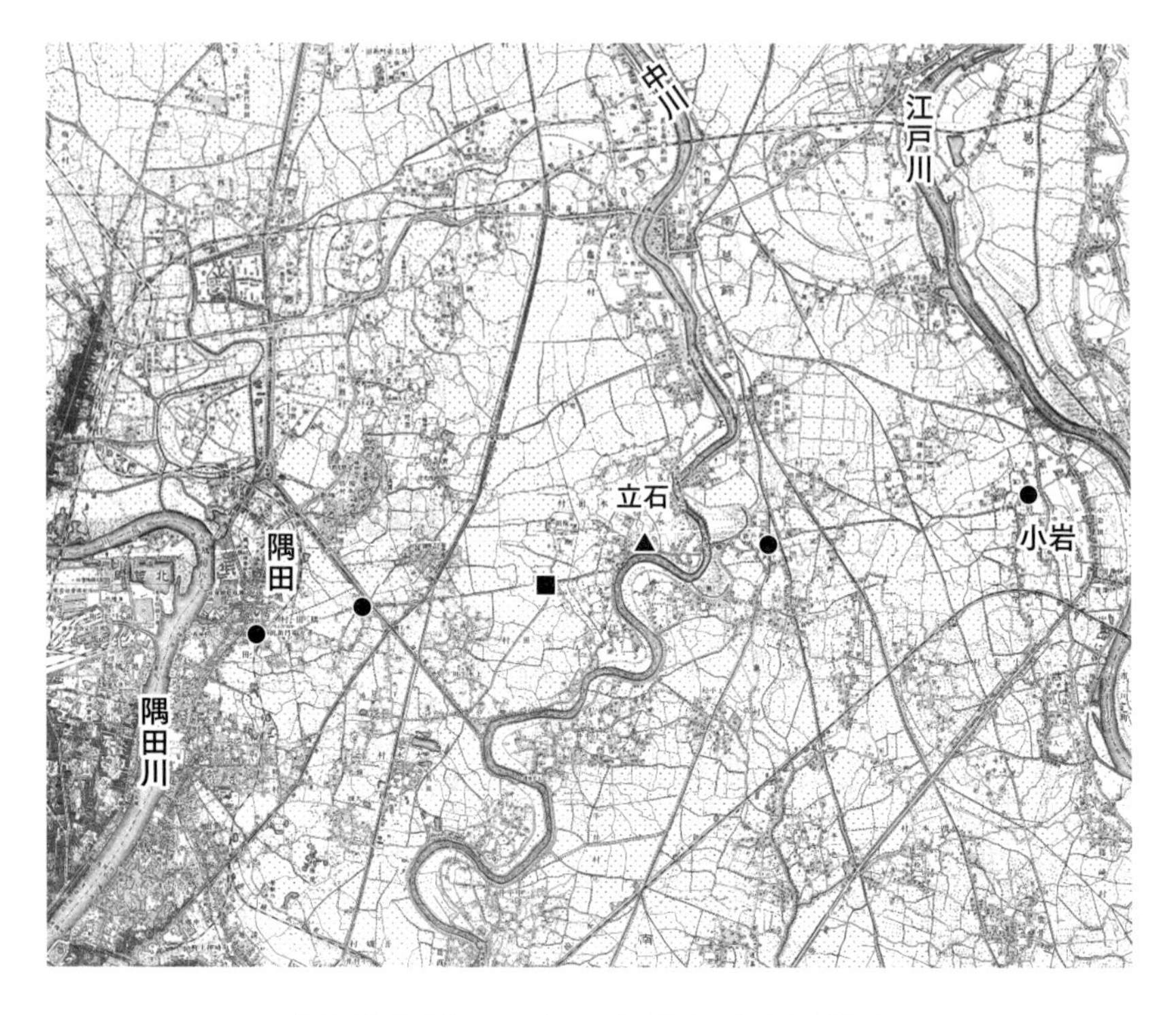

古代東海道推定ルート（1880年〔明治13〕東京近傍図）
図中の▲印が「立石様」で、■印が大道橋、●印が「大道」の地名が残る場所。隅田から小岩へとのびる古代東海道の道筋にあることがわかる

奪い奪われる葛西城

東京下町地域には、平安時代末になると武士勢力が台頭してくる。隅田川西岸の臨海部には秩父平氏の流れをくむ江戸氏が、上流部には豊島氏が進出する。隅田川東岸の葛飾・江戸川・隅田・江東区一帯（葛西地域）には同じく秩父平氏の葛西氏が開発領主となり、葛西清重の代にその所領を伊勢神宮に寄進して荘園「葛西御厨」が成立した。

葛西氏は、熊野那智大社に所蔵されている文書に、熊野御師の関係を示す史料があることから、熊野大神を信仰する武士だったことが知られている。立石熊野神社と葛西氏との関係を示す史料はいまのところ確認できていないが、葛西氏の信仰する熊野大神を祀る社であり、葛西氏にとっても崇敬する聖的な「場」として位置づけられていた可能性が高い。すでに見てきたように、「立石様」近くにある南蔵院は立石熊野神社の別当寺であり、「立石様」とつながりも深そうだ。

「立石様」周辺からは青磁・白磁といった中国から輸入された磁器や瀬戸・美濃系陶器、常滑系陶器、手づくねカワラケなど、おもに鎌倉時代から室町時代前半の遺物が出土しており、立石遺跡と呼ばれている。出土した平安時代の青白磁の優品は、誰でもが所持できる品ではなく、手づくねカワラケも鎌倉から搬入されているなど特異な様相を呈していることから、葛西氏にとって重要な場所であったと考えられている。

南北朝期から室町時代になると、葛西氏は奥州へ退去し、この地域は山内上杉氏が統治するようになるが、葛西御厨はそのまま維持される。一三九八年（応永五）の文書「葛西御厨田数注文写」（『鏑矢伊勢宮方記』伊勢の外宮神主家が所蔵する鎌倉時代から戦国時代の古文書を集録した書で、武家の神領寄進また武運祈願関係の文書が多い）に、「立石」という地名が登場する。この史料によると、「立石　二十一丁　公田一丁三反」と記載されており、この時期に葛西御厨内の郷村としてすでに成立していたことが確認できる。

また、中世の過去帳として著名な千葉県松戸市の本土寺の過去帳には、「妙立　立石四郎　寛正乙酉」という記載が見受けられる。寛正乙酉は寛正六年（一四六五）に相当する。「立石四郎」が立石を名字にもつ人物なのか、立石に住むあるいは立石で亡くなった四郎という人物をあらわすのかにわかに判断できないが、いずれにしても寛正六年段階にも、立石という名字あるいは地名が存在していたことが確認できる。

関東はその頃、一四五四年（享徳三）に起こった享徳の乱をきっかけに戦国の世に突入していた。青戸には、葛西を守備する上杉方の要として葛西城が築かれ大石石見守が守備していた。一六世紀に入ると小田原北条氏が武蔵に進出し、葛西城も一五二四年（大永四）以降数度の攻撃を受けるようになり、一五三八年（天文七）、ついに落城し、小田原北条氏方の下総地域をにらむ最前線基地となる。

しかし、一五六一年（永禄四）には、越後の上杉謙信（当時は長尾景虎）が関東方面へ進出し、小田原北条氏の勢力と反小田原北条氏勢力との攻防が各地で起こり、葛西城はいったん反小田原北条氏勢力に奪われるという憂き目に遭う。その後、ふたたび小田原

立石遺跡出土の舶載の青白磁碗

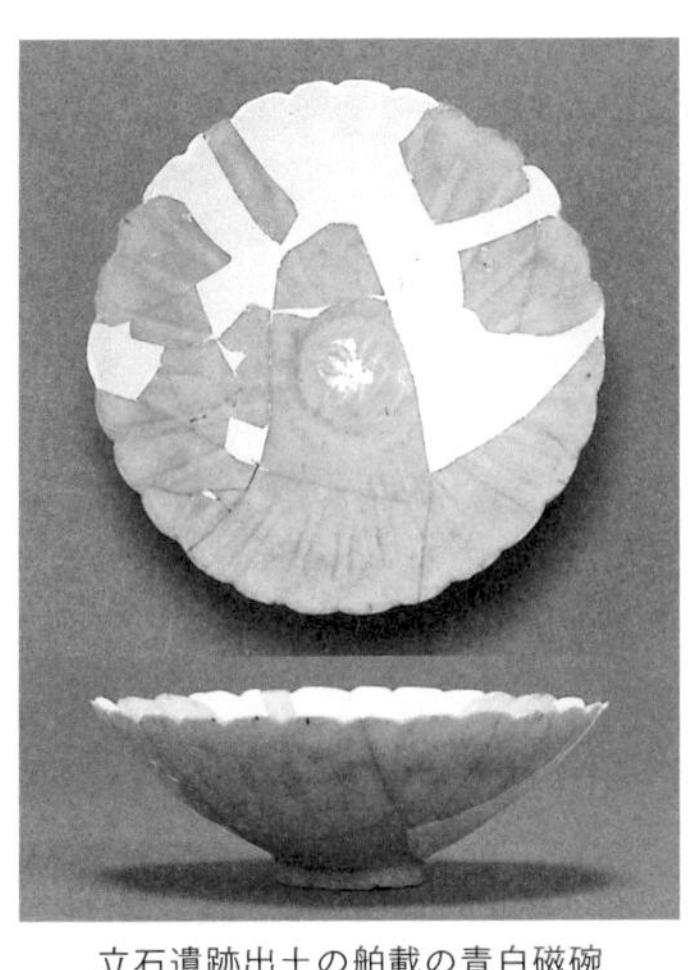

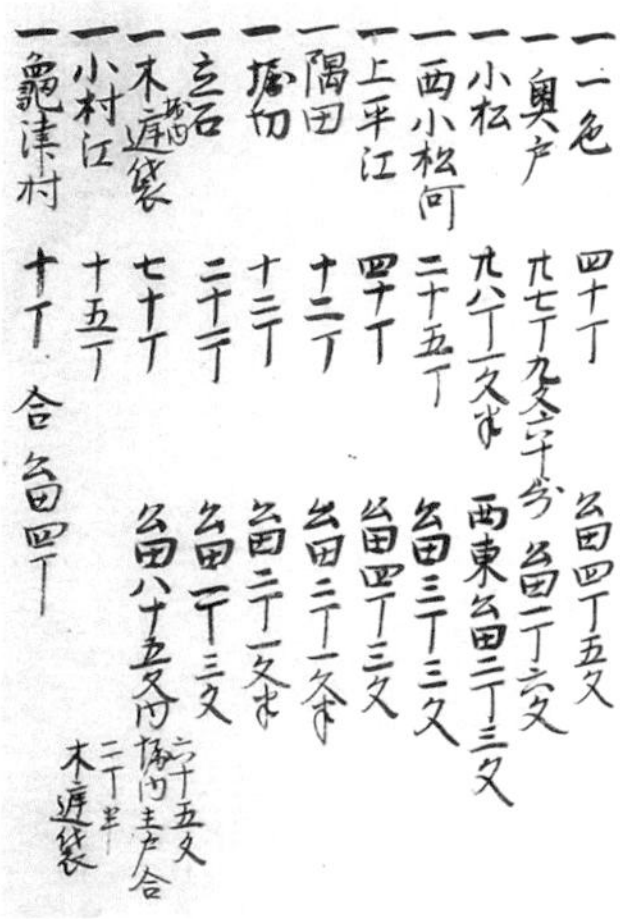

一 一色 四十丁 畠田四丁五文
一 奥戸 九七丁九文六十分 畠田二丁六文
一 小松 九八丁一文半 西東畠田三丁三文
一 西小松河 二十五丁 畠田三丁三文
一 上平江 四十丁 畠田四丁三文
一 隅田 十二丁 畠田三丁一文半
一 堀切 十三丁 畠田二丁一文半
一 立石 二十丁 畠田一丁三文
一 木遅袋 七十丁 畠田八十五文内 堀内 奥戸合 六十五文 二丁半 木遅袋
一 小村江 十五丁
一 亀津村 十丁 合 畠田四丁

「葛西御厨田数注文写」。上段左から4行目に「立石」がある

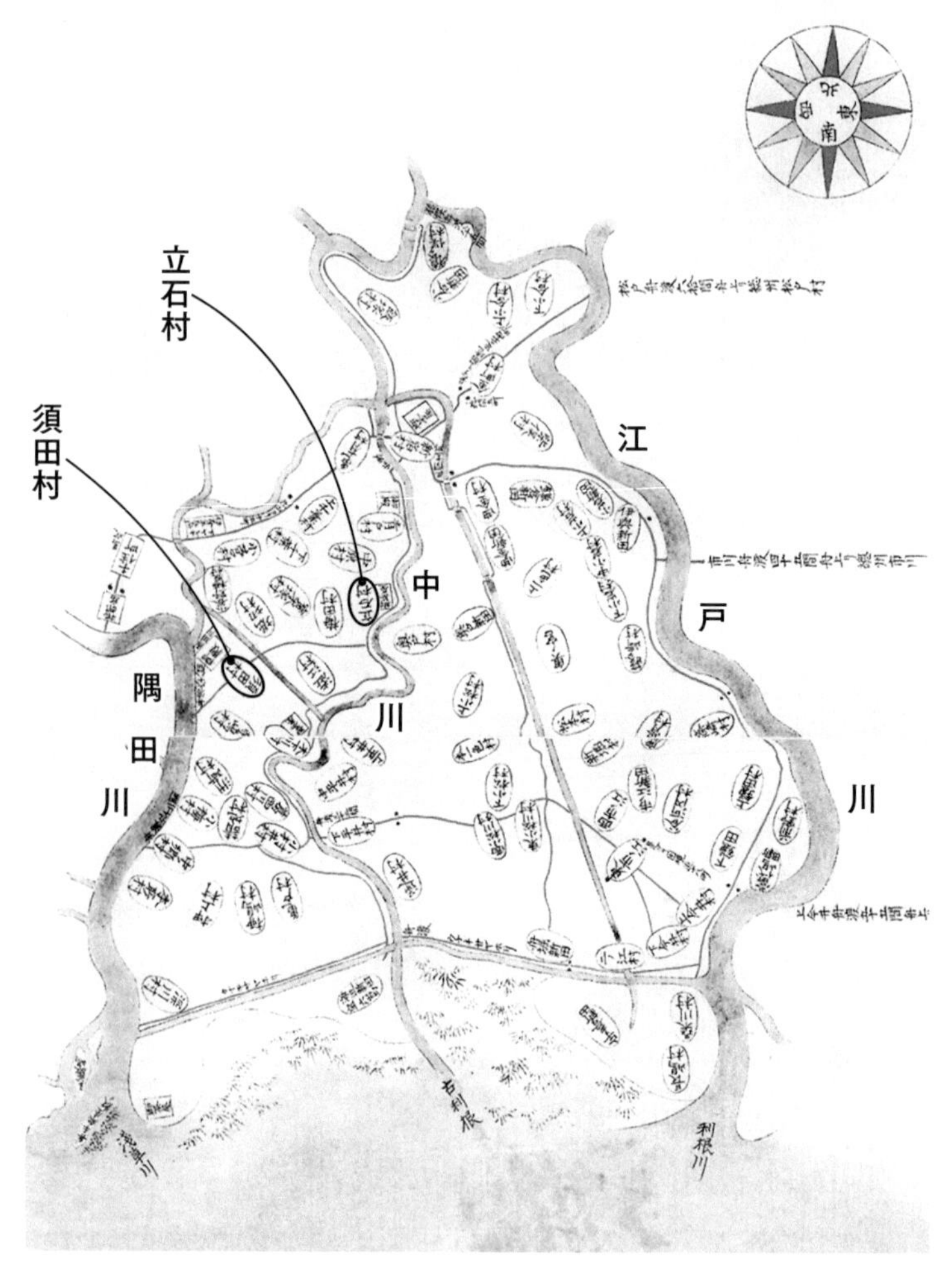

「葛西領正保北之図」(『葛西志』巻之一)
隅田川左岸の須田村から中川右岸の立石村まで道が通り、中川に沿って上流・下流に連絡している様子がわかる。中川のところで道が分岐しているが、ここが陸上交通と水上交通(舟運)の結節する「場」となる

北条氏が奪取するなど、葛西城をめぐる争奪戦がくり返される。

　戦国期の葛西地域の様子は小田原北条氏が一五五九年（永禄二）に作成した「小田原所領役帳」によって知ることができるが、家臣団の葛西地域に与えられた所領名をみても「立石」を見出すことはできない。

　この時期、「立石」は姿を消してしまったのであろうか。時代は新しくなるが、江戸幕府によって正保年間（一六四四〜四八）に描かれたといわれる「武蔵国図」には、「立石」と地名が明確に墨書で示されており、江戸時代に「立石」という地名を確認することができる。

「葛西御厨田数注文写」に郷村名があって、「小田原衆所領役帳」に記載がみられない郷村は、荒張・隅田・立石・亀津村（亀戸）・上袋・蒲田（鎌田）・中曽根の七カ所となっている。小田原北条氏は、これらの地域を家臣の知行地としてあてがわず、直轄領としていたと考えられている。

　その前提に立って地図上で立石と隅田の位置を確認すると双方とも河川を控え、かつての古代東海道で結ばれている。この道筋は中世前期には鎌倉街道として下総と武蔵をつなぐ幹線道路として存続していたと考えられており、立石と隅田の密接な関係が読み取れる。

一五六四年（永禄七）には、安房の里見氏、岩槻の太田氏の連合軍が市川市国府台方面に進軍し、下総台地・葛西地域を巻き込んで激戦が展開された。この第二次国府台合戦と呼ばれる戦で、北条氏康・氏政軍の本陣は立石付近に構えられたといわれている。江戸城から隅田、立石、そして太日川（江戸川筋）対岸への進軍ルートを想定すると、小田原北条氏の軍事的な動きを確保するために、立石や隅田（須田村）が直轄領として統治されていたものとみられる（黒田基樹「第六章　北条氏と葛西城」『古河公方と北条氏』、谷口榮『東京下町の開発と景観』中世編）。

一五九〇年（天正一八）、小田原北条氏は滅亡し、徳川家康が江戸に入府する。立石の所属する葛西地域は幕府の天領となり関東郡代の支配下に置かれ、近世都市江戸の近郊の農村として新たな開発・治水事業が推し進められることになるのである。

交通の要衝を構成する「場」

現在、「立石様」はわずかに数センチしか露出していないが、以上見てきたように東京下町の歴史を紐解く歴史遺産として貴重な存在である。二〇一四年（平成二六）には、東京下町の古代交通史、近世以来の民間信仰をうかがい知ることができ、日本先史時代研究の重要な遺跡として東京都の指定史跡になっている。

地理学的には「東京低地」と呼ばれる低地帯である東京下町は、「昔は海だった」と言われ、河川も多く、洪水の頻発地域とされ、古い歴史はなく新しい地域と認識されている。しかし、そのような見方は現代的な目線であって、河川が集中する東京低地は、車とか鉄道のない近代以前は船の交通の利便性が高い地域だった。この地で暮らす人々は水害と折り合いをつけながら、「川に苦しみ、川に恵まれた」地域だったことを再認識しなければこの地域の歴史的特性は見えてこない。

東京低地を流れる河川は、海と内陸とを結ぶ南北方向の動脈として重要な存在であった。そして古代東海道の存在が示すように、都と陸奥を結ぶ陸上交通の幹線道路が東京低地を東西方向に貫いていた。立石地域は水陸交通の結節点であり、その交通の要衝としての重要性は古代以降も連綿と続いていく。

このように「立石様」は、東京低地という交通の要衝を構成する「場」として立石という地域が位置することを、現代の私たちに語りかけてくれているのである。

昭和30年代の本奥戸橋より上流の風景。堤防は中川と町場を画しているが、拒む存在とはなっていない（奥田晃三朗氏撮影）

1972年（昭和47）に私が偶然同じ場所を撮った写真で、コンクリートの堤防で中川と町場は隔てられている。中川の水位が高いこともあって、町場が堤防で守られている感が強い

河川を忘れた立石

古代以来、河川の舟運と陸上幹線道路が結節する立石に都市的な「場」が形成されていたことはすでに述べた。その状況は、近代になっても継承されていたことが、当時の地図の立石の町場の広がりを見てもわかる（二四二頁上）。つまり、初代立石駅の位置は、そのような状況を反映してそこに設置されたのである。

あらためて交通的視点から都市的な場との関係をみると、日本の交通体系は、近代になって鉄道が出現し、そして車社会へと変化するなかで、河川を行き来する舟運は高度経済成長期を境に衰退してしまう。

このようなインフラストラクチャーの変化は、立石地域にも大きく影響をおよぼす。それは、たんに中川の舟運が衰退したということだけではない。荒川放水路の開削によって軌道を移動させたことにより、立石駅を移設したことが、葛飾区誕生と相まって、鉄道を基盤に政治的・経済的な面においても立石地域の求心性を高めることになった。それは立石というまちが中川との親和性を失うことを意味している。

中川の川べりでは、川面で染色の糊を洗い落としたり、反
物を干したりする姿がよく見られた。後ろの橋は高砂橋
（1953年、山口敏郎氏撮影）

本奥戸橋付近で毎年おこなわれていた寒中水泳大会の様子
（1982年、伊藤昭久氏撮影）

荒川放水路開削という首都東京を洪水から守る国家プロジェクトが、大正以降の隅田川以東の景観形成に大きく影響している。荒川放水路の開削がなかったら、あるいはもう半世紀でも後でおこなわれていれば、隅田川以東の景観は異なっていたのであろうし、はたして現在のように東京下町に組み込まれていたかどうかはわからない。

水田が広がっていた立石地域は、戦前から宅地化が進行し、その傾向は戦後も続き、高度経済成長期に著しく促された。都心部から持ち込まれた産業廃棄物で水田や池は埋められて宅地となり、水田に水を供給していた用水路には生活排水が流れ込んで「ドブ」へと姿を変えていった。

東京タワーがそびえ首都高速道路や高層ビルの建設が進む首都東京、一方で昨日までザリガニを捕っていた池が一夜にして姿を消す現実、高度経済成長期の光と影を子どもながらに見てきた。この高度経済成長期に立石地域に限ったことではないが、舟運の衰退だけでなく、まちと河川との関係が希薄になった。

中川の土手はいまでこそ川辺の散策ができるように再整備されているが、その前はコンクリートを高く積んだ「カミソリ堤防」だった。それは高度経済成長期の地盤沈下による防災上の処置であった。多くの工場ができたことで活気あふれる経済活動の姿が地表面に展開される一方で、地盤沈下が起きた。地下水の大量くみ上げが大きな要因といわれている。

私が小学生だった頃には、まだカミソリ堤防ではなくて、河畔にすぐに降りることができた。七夕やお盆がすぎると、笹飾りやお供え物を中川に流しに行ったり、奥戸橋の袂にある桟橋から船に乗り、船上から灯籠流しをしたりした。

奥戸橋から南蔵院あたりの立石寄りの川辺には、水上生活をする家族が何軒もあったし、船の行き来が日常的に見られた。それが堤防の嵩上げによってカミソリ堤防化していくなかで、水上生活者の家族はいなくなり、私たちも川辺には行けなくなった。

平成になる前は、中川の川辺の染色屋さんで高い干し台に反物が干されて風になびく姿が見られ、本奥戸橋のところで寒中水泳が催されるなど、川とのかかわりが風物詩になっていたが、それもいまは見ることができない。日常的に中川を感じたのは遠い昔のことになってしまった。

立石のまち景観だけに目を奪われるのではなく、古代から続く先人の営みを風土とともに紐解くことで、千ベロの聖地「立石」の歴史的特性を新たに見出すことができるのではないだろうか。

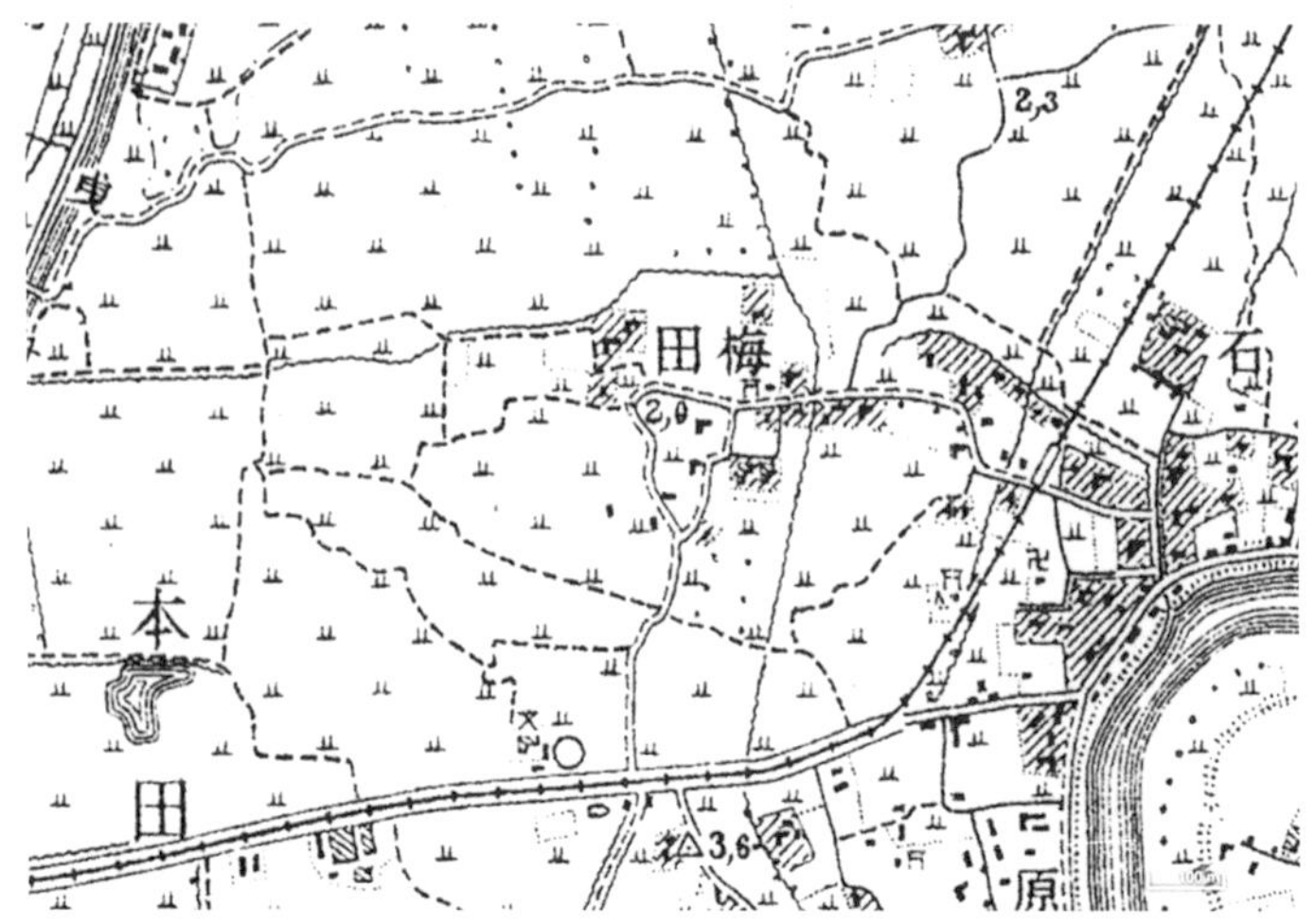

①関東大震災前（1919年〔大正8〕2.5万分の1地形図「東京首部」）
荒川放水路開削前の京成電氣軌道の線路がわかる。立石駅の位置に注目してほしい。駅右手の中川沿岸に元々のまちの中心地があり、その近くに駅を設けたことがわかる。軌道の周辺には田圃が広がっており、駅周辺もまだ開発が進んでいない

②戦争前（1937年〔昭和12〕1万分の1地形図「千住・向島・金町・小岩」）
放水路開削によって京成押上線は現在の軌道となり、立石駅も移動した。区画整理がおこなわれ、駅を中心に開発されている様子がわかる。中川沿いには工場が建ちならび、水道路には関東大震災で罹災した寺院が移転してきている。左上には水戸街道（国道6号）の建設がはじまっているが、まだ田圃や池が多く分布している

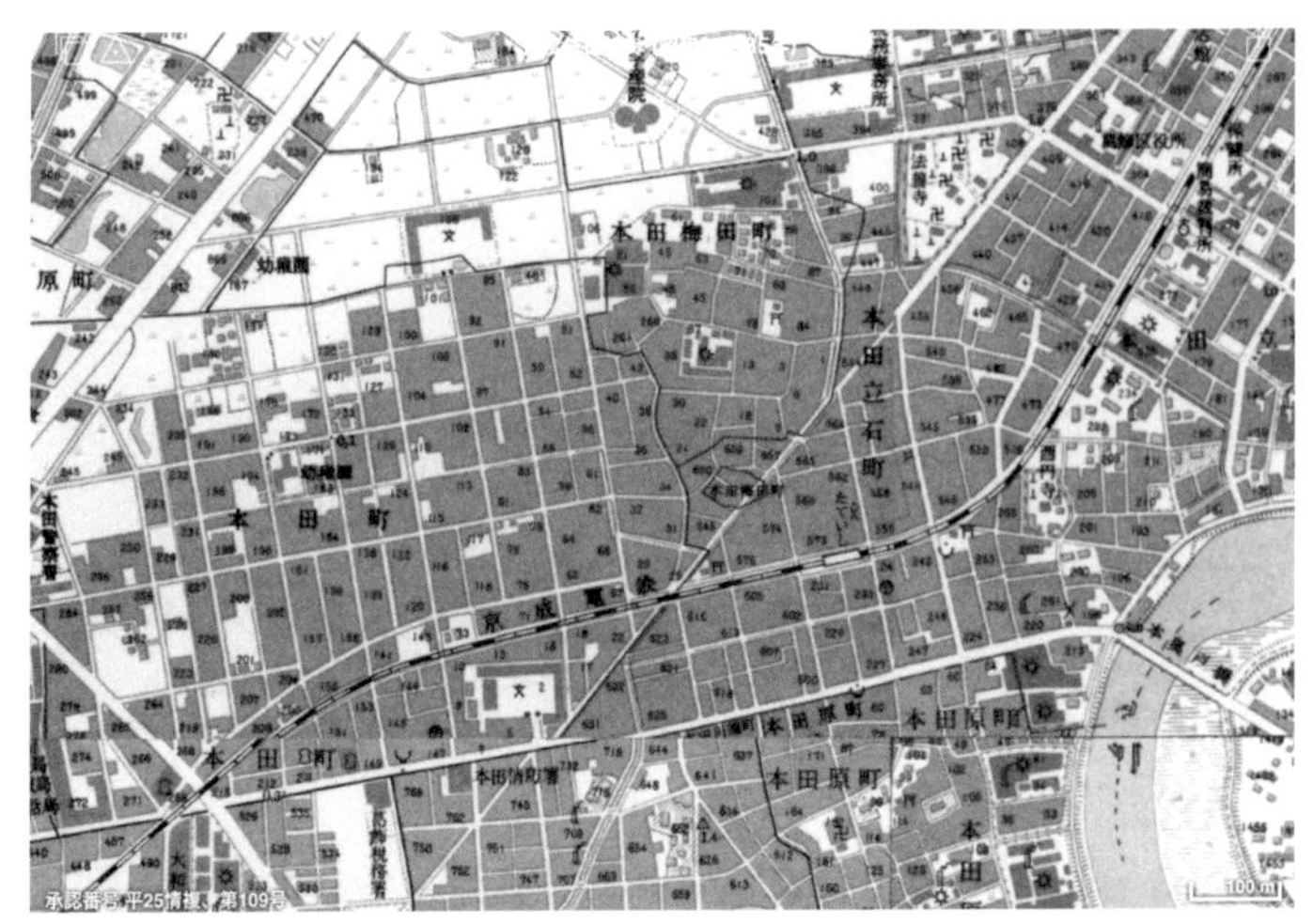

③高度経済成長前夜（1958年〔昭和33〕1万分の1地形図「千住・向島・金町・小岩」）
立石駅を中心に面的に、水道路や水戸街道沿いまで開発が進み、②の地図とくらべると田圃が急激に減少したことがわかる。学校が増えていることも人口の増加を裏づけている。この地図が製作された頃は舟運は健在らしく、中川には船の往来の航路が描かれている

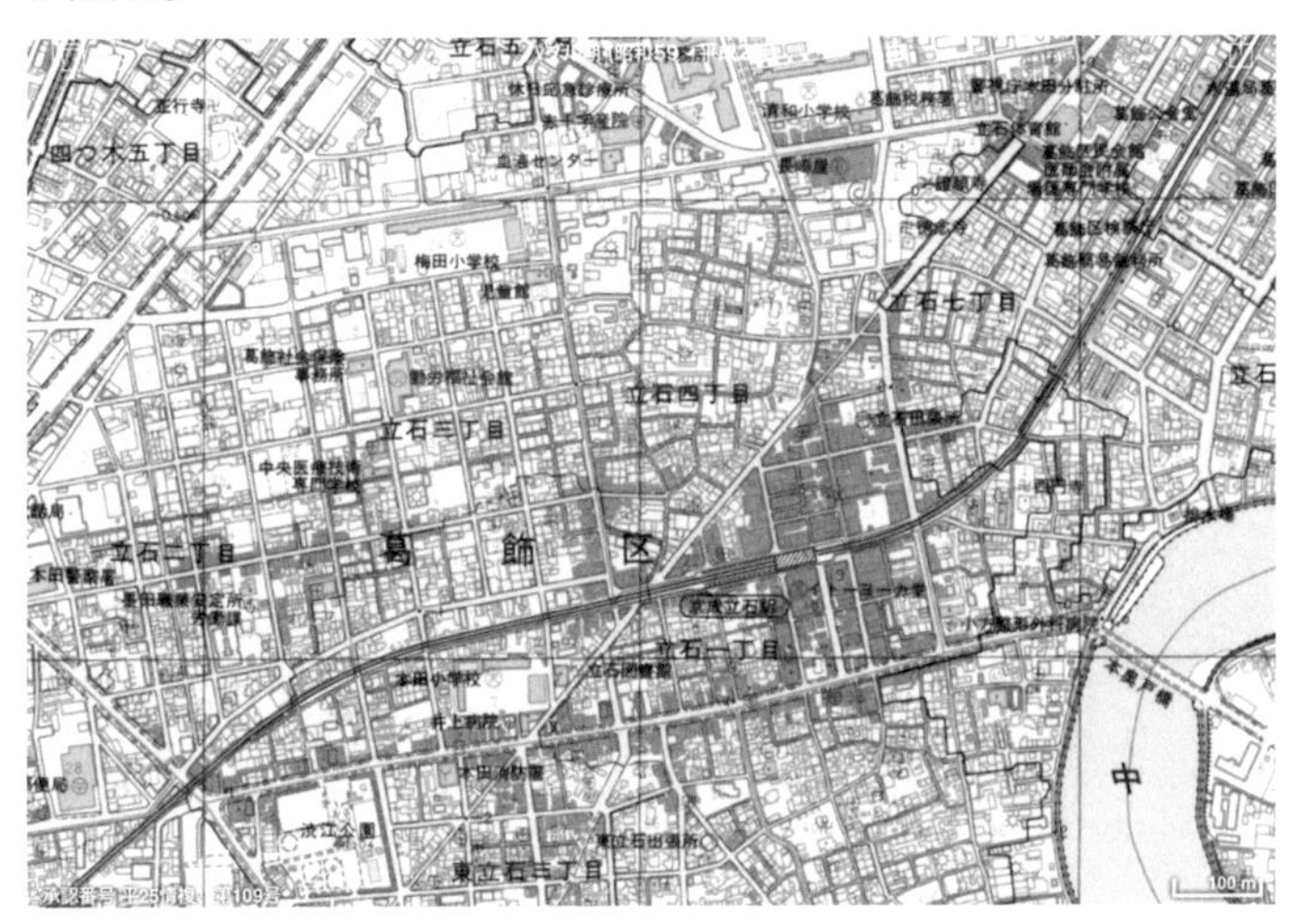

④バブル期（1988年〔昭和63〕1万分の1地形図「青戸」）
さらに開発が進み、子どもたちにとってザリガニを捕る格好の遊び場だった田圃や池も埋められ宅地化されている。前の地図まで描かれていた水路は暗渠となり、現在の渋江公園に葛飾税務署があったことがわかる。20年、50年後の地図はどうなっているのだろうか

付章

立石にあった「つたや京染店」

「つたや京染店」のルーツを探る

私の祖父、谷口半次は、一九六三年（昭和三八）九月八日、私が二歳の時に亡くなった。享年六九だった。かすかな記憶しかないが、私には祖父の姿が写っている好きな写真がある。自宅の庭で洗い張りの仕事をしている写真である。私の家は、「つたや京染店」という染物屋をやっていた。いまは廃業したが、本書の終わりに、立石四丁目一三番地にあった私の実家「つたや京染店」のことを少し書きとどめておきたい。

父、谷口雅美は、染物店を継ぎたくなかったようだ。モノを作ったりするのが好きで工業高校へ進みたかったが、祖父から猛反対されたとよく聞かされた。いくつかの仕事をしたようだが、結局、家の仕事は継がず、荒川区南千住のタクシー会社に落ち着いた。

父と母つる子がお見合いし、一九六〇年（昭和三五）三月に自宅で結婚式を挙げた。母の祖父である山梨県富士吉田市にある北口本宮冨士浅間神社の勝俣文之進宮司に来てもらって婚儀を挙げたという。

この私にとって曾祖父に当たる人が、後に誕生する私の名前を付けてくれた人だ。曾祖父が三つ名前を札にそれぞれ書いて、一枚を父が引いて、「榮」となったという。

洗い張りをする祖父、谷口半次

「さかえ」という名は小学校までは嫌で馴染めなかった。それというのも小学校の低学年の時、下駄箱に書いてある名前を見た上級生から「女みたいな名前だ」とよく言われたからだ。いまでは六〇年近くも付き合ってきたので、とても愛着をもっている。

母は、結婚して私を育てながら祖父の仕事を手伝い、祖父が亡くなってからは、店のやりくりをして、二代目店主となった。母は結婚して二、三年で祖父の仕事を引き継いだことになるが、富士吉田育ちで葛飾区に馴染みがなく、仕事をまわしていくのはたいへんな苦労があったことだろう。

祖父がいつ頃、立石に住み、店を構えたか、定かな資料はない。父の話を思い出すと、祖父は滋賀県甲賀郡の生まれで、大火によって家族の多くを失い、大阪方面で仕事をしていたが東京に出てきたという。立石には、西圓寺近くの軌道が大きく曲がるあたりの北側に店を構えたらしい。その界隈は初代立石駅があったところだ。

店を兼ねた玄関で、母つる子と幼い頃の私

「つた屋京染店」と看板を掲げた店の写真がある。詳しい年代は不明であったが、一九四二年（昭和一七）十一月十四日に亡くなった祖母か祢と父の姉照江と幼い光子が写っているから、戦前のものであろう。「市外下目黒」とある。おそらく祖母の死あるいは空襲を避けて、目黒から染色業の盛んな葛飾区立石へ移ってきたのであろう。目黒では一九三五年（昭和一〇）に生まれたばかりの父の妹幸子が亡くなっている。

父と祖父の故郷を訪ねる

二〇〇一年（平成一三）十二月十八日、元気が取り柄だった母が亡くなった。享年七〇だった。

母の死亡届けなどの手続きで、戸籍謄本をとり、あらためて内容を確認していくと、祖父は滋賀県甲賀郡寺庄村大字寺庄に一八九三年（明治二六）九月二十五日に生まれ、その後、大阪市東区玉堀町に暮らしており、父の話のとおりだった。東京に移ってきた祖父は、一九三九年（昭和一四）年三月に青木か祢と結婚して、先ほど紹介した目黒区下目黒で「つた屋京染店」を営んでいたこともわかった。しかし、立石に移ってきた年月はわからないままだった。

しかし、母の納骨を準備するなかで、谷口家の墓所のある千葉県松戸市にある都立八柱霊園の書類を見ていたら、一九四三年（昭和一八）三月十五日に使用許可が出ていることがわかった。祖母がその前の年に亡くなっているので、納骨するために祖父が手続き

目黒にあった頃の「つた屋京染店」の前で。後列左から２番目が祖母か祢、その右が祖父半次、前列中央が姉照江、その右が姉光子

つたや京染店の前で、父雅美と幼い頃の私

をとったことがわかった。この頃には立石に住んでいたのだろう。

母が亡くなって三回忌に当たる二〇〇三年（平成一五）三月に、父と二人で谷口家のルーツ探しの旅に出ることにした。私は、いま父親と一緒に探さないと息子太郎に谷口家の歴史を伝えられなくなってしまうという危機感があり、父も祖父半次の生まれ故郷を訪ねたいという思いがあったのだろう。

一泊程度の旅だったと思うが、滋賀県甲南町役場で戸籍台帳を調べ、祖父半次の家族を見つけることができた。祖父半次は男九人、女二人の大家族の六男であった。住居表示を頼りに生家のあった場所を訪ねると、街道沿いに跡地はあったが、祖父の生まれた頃を偲ばせるものはまったくなかった。火事で兄弟姉妹の多くを亡くしたと聞いていたので、もしかしたら寺の過去帳に名前が残っているのではと思い、日が落ちてしまったが、近くにある浄土寺さんの門を叩き、訪れた理由を話したところ、夜分にもかかわらずご住職と奥様が親切に対応してくださり、過去帳を調べてくれた。

過去帳には、それらしき谷口姓の名前が何人かあったが、祖父半次の妹に当たる人の名前を一人確認することができた。いまは無縁仏になっているとのことであったが、父と二人、本堂で手を合わせることができた。帰り際、ご住職が明日の朝のお勤めで名前を読み上げて供養してくれると言われたので、深く頭を下げ、寺を辞した。

祖父の生まれ育った土地の斜面や空地には蔦の葉が繁茂していた。「つたや京染店」という名に、もしかしたら祖父の生まれ故郷の風景を重ね合わせていたのではないかと、東京に帰る新幹線の車中で父と缶ビールを飲みながら話していたことも、いまとなっては懐かしい思い出となってしまった。

目黒から葛飾立石へ

その父も二〇一一年（平成二三）亡くなり、両親の荷物を整理していると、母の荷物から「つたや京染店」に関係する帳簿や見本帳、包装紙、印鑑やゴム印、手拭いなどが出てきた。出てきたというよりも母は大切に保管していたのだ。

「つたや京染店」は、私が結婚して子どもが生まれた頃にはもう店を閉めていた。ただし、祖父から受け継いだ「つたや京染店」のことは大切にしたいと思ったのであろう。その思いが一連の資料として保管されていたのだ。全部は残せないので、整理して茶箱二個分を鎌倉の自宅に持ち帰りしまっておいた。

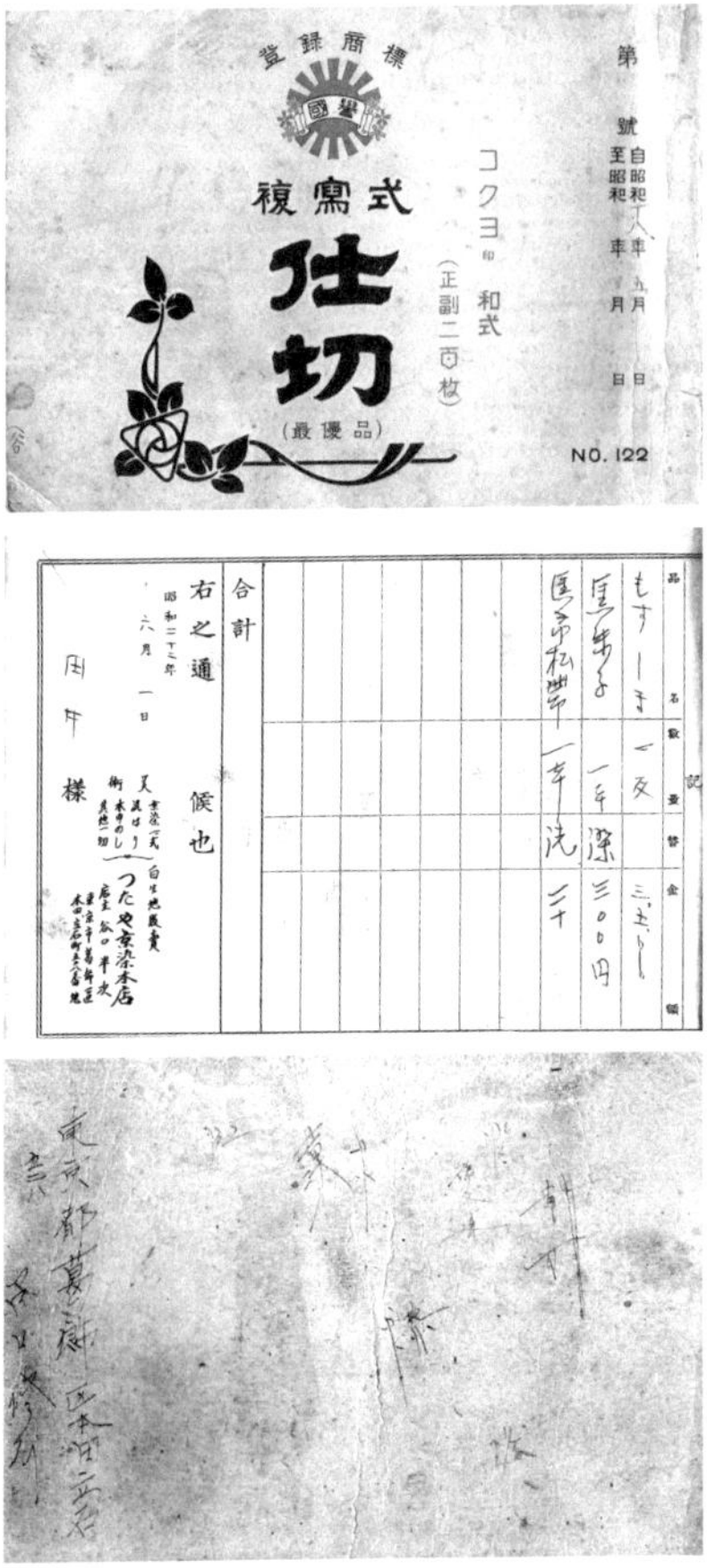

つたや京染店の「注文票」

この原稿を書いている時に、そのことを思い出して箱を開けてみると、一冊の帳面が出てきた。この帳面を仮に「注文票」と呼んでおこう。カーボン紙をはさんで複写できるようになっており、一枚は依頼主からの注文と金額を書いた店の控え、一枚は依頼主へ渡す見積書となっている。表書きに「昭和十八年五月」とあり、裏には「東京都葛飾区本田立石五二八　谷口修弘」と記してある。「修弘」は祖父の別名で、この年月から使った「注文票」であることがわかる。

見積書の方に「つたや京染本店　店主　谷口半次　東京市葛飾区本田立石町五二八番地」と印判が押してある（印刷かもしれない）。「昭和二十二年十二月二十日」日付の後の用紙に、日にちは不明であるが、住所の最後に当たるところに棒を引き「梅田町四三」と書いている。「昭和二十四年二月二十五日」以降の用紙には住所を直している痕が顕著に残っているので、この時には「梅田町四三」、後の住居表示で「葛飾区立石四丁目十三番十号」となる場所へ移っていることが確認できたのである。

それと興味深いのは、昭和一八、一九年のところには、一九四五年（昭和二〇）に亡くなった父の姉光子の名で記入している箇所があり、父の姉が店を手伝っていたことも確認できた。

この「注文票」は、祖父にとって特別の想いがあるものではないだろうか。というのも、祖父は一九四三年（昭和一八）三月に谷口家の墓所を定め、妻か祢の納骨の手配をしている。「昭和十八年五月」の表書きがある注文票は、妻と生後間もない子どもを失った創業の地を離れ、葛飾立石を新天地と定め、新たな門出となる時期であった。娘（父の姉）もそれを支えてくれた。そのような想いが、この資料が母から私へとつないでくれた縁となったのではないかと思う。

一九四三年（昭和一八）五月、染色業の盛んな立石に移り住み、初代立石駅近くの「本田立石町五二八番地」で店を営んだ。「注文票」には「つたや京染本店」とあるから、移ってきた時にはまだ目黒の店はあったのかもしれない。立石に店を構えるにあたって、店の表記も「つた屋京染店」から「つたや京染店」に変更している。

祖父が染色業を営んでいたかかわりから、私と立石の縁ができた。一九四三年（昭和一八）から半世紀以上にわたり祖父と母が営んできた「つたや京染店」が立石にあったことを少しでも書きとめることが、半次の孫であり雅美とつる子の息子としてのせめてもの供養であり、書き手からの立石の地霊の物語である。

（2014年撮影）

第十二

あとがき

現在、立石駅周辺地区は、京成押上線の連続立体交差事業と連携しながら、まちづくりの検討をおこなっている。防災性・利便性・快適性の向上と商業の活性化を図ることにより、「活力と魅力にあふれた立石」を実現するという。

この再開発に、賛成か反対かという対峙する関係ではなく、立石地域に育まれてきた歴史的特性をいかに活かし、立石の夜の名物を失うことなく、未来にどうつないで、立石の安心・安全なまちづくりを進めていくのかが今後の課題だと私は思う。それはコンサルタントが考えることではなく、これからの立石を担う地元の人々が考え、行政と協働して想い描かなければならない。

たとえば、初代立石駅の場所を発掘して駅や軌道の痕跡が見つかれば、それを記録化して「立石開発史」の資料としてソフトやハード面で活用することができよう。工事が進んでいるので発掘は難しいとなれば、せめて「初代立石駅跡」というサインを建てるだけで、開発後のまち歩きの見所の一つとして活用ができる。

立石は、「キャプテン翼」の銅像めぐり、立石様や立石熊野神社、南蔵院、西圓寺、喜多向観音などの史跡や寺社・祠、近代鉄道遺跡、そして銭湯など見所、訪ね所に事欠かない。この地域の歴史的・文化的遺産を資源として有機的に活用することで、立石ならではの回遊性が創出でき、まち歩きの後の「ちょっと一杯」や「ひとっ風呂」という癒しの時間も提供でき、区内外からの来訪者にとって魅力的な楽しみとなると思う。さらに、区内はもとより京成押上線など周辺地域の歴史的・文化的資源とつなげていけば、訪ね歩く人の興味に合わせ無限の広がりをもつ。

もっと立石のことを区民と行政が協働して調査研究し、話し合うことで、立石らしいまちづくりができるはずである。歴史的・文化的遺産が、そこに暮らす人々のアイデンティティとしてのみ存在するのか、一歩進めてシビックプライドを醸成していくのかは行政の取り組み方次第である。

執筆中は、忘れていた両親との思い出がふと脳裏に浮かび、胸を熱くすることがしばしばあった。そもそも祖父半次が立石で「つたや京染店」を営んだことが、谷口榮という人間の誕生と葛飾立石との縁のはじまりであったことをあらためて痛感したので、両親への思いも込めて付章を加えさせていただいた。

もつも含めた肉食や焼酎の歴史など、もつ料理とハイボールにまつわる話をもっと用意していたのだが、話が広がりすぎるので割愛した。まだ書き足りないこともあり、『呑めば、都 居酒屋の東京』（筑摩書房）や『日本の居酒屋文化』（光文社新書）を著したマイク・モラスキー先生との出会いと学ばさせていただいたことについてもふれることができなかった。あらためて稿を起こしたいと思っている。

思い起こせば、葛飾区役所の旧社会教育課の有志五名でもつ焼き研究会

（永山悦司、平井康章、菊池教子、八木澤誠司氏と谷口）を結成し、月一回の研究会は永山会長が定年になる二〇一三年まで続いた。その後もしばらく続いたが、いまは自然解散状態となっている。もつ焼き研究会は立石以外のもつ焼き屋さんについて多くのことを学ぶ機会となった。

現在の職場となっている産業観光部へ異動する前の博物館で立ち上げた博物館ボランティア「葛飾探検団」では、もつ焼きの展示をボランティアの方と協働でおこなうことができた。この展示で「宇ち多」、「みつわ」、「江戸っ子」さんのもつ焼きのタレを分析したり、タレの匂いの展示をしたり、図録に「みつわ」さんの店のペーパークラフトや音声などを収めたＣＤ－ＲＯＭを付録としたことも忘れられない思い出となっている。その展示で一級建築士の森本伸輝氏に、もつ焼き屋さんをはじめとする昭和の建物の平面図作成にご尽力をいただいたが、今回もお骨折りいただいた。

さらに、朝日新聞の小泉信一編集委員には、都内だけでなく全国各地のもつ料理や焼酎ベースの飲み物などの情報をいただいたことも、視野を広げるよい刺激となっている。葛飾区の図書館や立石地域の講座などで、もつ焼きと焼酎ハイボールの話をしたことも混沌とした頭の中を整理する機会となった。

また、京成電鉄株式会社鉄道本部施設部長の吉野泰宏氏には、5章の京成電鉄の記述に誤りがないか確認していただいた。感謝に堪えない。それと本書に私の好きな滝田ゆう先生の作品を掲載したいと思い、奥様の滝田朝子氏に相談したところ、「定年のお祝い」ということでご高配をいただくことができたことは望外の喜びである。

本書が上梓できたのも、いつもながら多くの方のお力添えがあってのことである。とくに、仕込みで忙しいのに私のわがままを快く受けてくれて、聞き取りや測量調査などをさせていただいた、「宇ち多」さん、「みつわ」さん、「江戸っ子」さんには伏して御礼申し上げ、本書の上梓を報告させていただきたい。そして一軒一軒お店の名を記さないが、今日まで「癒し」と「学び」のひと時を提供していただいた店のご主人や従業員の皆さまにも感謝申し上げたい。これからもよろしくお願いいたします。本書上梓まで粘り強くサポートしてくれた新泉社の竹内将彦さんにも感謝の意を表したい。「編集者が研究者を育てる」と考古学者の佐原真氏が書いていたが、私も本当にそう思うからである。

本書作成にあたり写真や資料の提供などをいただくなど、本当に多くの方々にお世話になった。文末にお名前を記して、感謝の意を表したい。

二〇二〇年というのは、翌年二月に人生の節目となる還暦を迎え、三月に定年となるという、気持ちや仕事、研究、そして身のまわり諸事の整理や準備をする大切な年であった。それに歴史を研究する者として、二〇二〇年は戦後七十五年という忘れてはいけない節目であり、私の敬愛するジョン・レノンが銃撃されて亡くなってから四十年を迎える年でもあった。そんな諸々の節目から二〇二〇年は充実した年にするぞと力んでみたが、コロナ騒動で公私ともに多大な影響を被り、何をどうして良いのやら状態になってしまったが、ようやくここまでたどり着くことができた。

葛飾の立石に生まれ育った私は、祖父母に、両親に、立石というまちに、そして古代から連綿と育まれ営まれてきた歴史と文化に感謝している。そして葛飾に愛着があり、誇りをもっている。熊野幼稚園、梅田小学校、大道中学校で学び、先生方や多くの友人と出会い、もつ焼き屋さんで日常と非日常を認識するなど、今日までの「時間」と「場」のどれかひとつ欠けても、いまの自分にたどり着くことができなかった。それらへの感謝の思いもあって筆を執った。

本書を手にとっていただいた人に、立石のポテンシャルと地域的特性を知ってもらい、過去だけでなく、未来へ思いを馳せることのできる手がかりを少しでも提供できれば幸いである。そして、私的には「つたや京染店」のささやかなレクイエムとなればと思うとともに、けっして京成立石駅を中心に営まれてきた立石というまちのレクイエムとならないことを願って筆を擱きたい。

二〇二〇年十二月吉日　コロナ終息を願って勝鹿亭にて記す

谷口 榮

■協力者・協力機関（敬称略・順不同）

石戸暉久　石橋星志　伊藤昭久　上田恭弘　内川清　奥田旭　刈部幸子　黒沼雄一　小林政能　鈴木直人
澤村英仁　滝田朝子　手塚敬之　中島広顕　保坂輝行　細谷政男　マイク・モラスキー　山口二三子　安井正　吉野泰宏　いき出版　京成電鉄株式会社　協同組合立石仲見世共盛会　立石駅通り商店街　立石駅北口地区市街地再開発準備組合　立石熊野神社　五方山南蔵院　国土交通省関東地方整備局荒川下流河川事務所　国土地理院　東京都公文書館　一般財団法人日本地図センター　新宿区立新宿歴史博物館　墨田区すみだ郷土文化資料館　葛飾区郷土と天文の博物館　葛飾区産業観光部　葛飾区中央図書館

■主な参考引用文献

市古夏生・鈴木健一校訂『新訂　江戸名所図会』6「巻之七揺光之部」ちくま学芸文庫、二〇〇九年
稲垣真美『現代焼酎考』岩波新書、一九八五年
江上智恵「コラム2　京都風のかわらけ」『東京低地の中世を考える』名著出版、一九九五年
木下良「「立石」考―古駅跡の想定に関して―」『諫早史談』八、一九七六年
黒田基樹「第六章　北条氏と葛西城」『古河公方と北条氏』岩田書院、二〇一二年（初出　葛飾区郷土と天文の博物館編『葛西城と古河公方足利義氏』雄山閣、二〇一〇年）
佐々木道夫『焼肉の文化史』明石書店、二〇〇四年
澤村英仁『京成押上線物語』文芸社、二〇一五年
鈴木博之『東京の地霊』ちくま学芸文庫、二〇〇九年（初出　文藝春秋社、一九九〇年）
滝田ゆう『下駄の向くまま　新東京百景』講談社、一九七八年

谷口榮「立石様研究ノート」『博物館研究紀要』五、葛飾区郷土と天文の博物館、一九九八年
谷口榮「モツ焼とハイボール―モツ焼から葛飾を学ぶ―」『都政新報』二〇〇〇年九月二十六日
谷口榮「葛飾の夜の名物「もつ焼とハイボール」考」『可豆思賀』二、葛飾区郷土と天文の博物館、二〇〇六年
谷口榮「葛飾の夜の名物「もつ焼とハイボール」考（2）」『可豆思賀』三、葛飾区郷土と天文の博物館、二〇〇八年
谷口榮「ハイボールの奥深さを教えてくれた「コーナーアオト」―昭和四十年代の雰囲気を伝える飲み屋の記録―」『可豆思賀』四、葛飾区郷土と天文の博物館、二〇一一年
谷口榮「日常と非日常を意識する―モツ焼き屋さんから学んだ観察眼―」『都政新報』二〇一二年五月二十九日
谷口榮「「荒川放水路」が変えた町」「地元産〝炭酸〟でつくる「葛飾ハイボール」」『東京人三月増刊　葛飾区を楽しむ本』三〇七、都市出版、二〇一二年
谷口榮『東京下町の開発と景観』古代編、雄山閣、二〇一八年
谷口榮『東京下町の開発と景観』中世編、雄山閣、二〇一八年
谷口榮『増補改訂版　江戸東京の下町と考古学―地域考古学のすすめ―』雄山閣、二〇一九年
谷口榮『東京下町の前方後円墳　柴又八幡神社古墳』シリーズ「遺跡を学ぶ」一四三、新泉社、二〇〇〇年
高橋慎三『つげ義春を旅する』筑摩書房、二〇〇一年
つげ義春『新版　つげ義春とぼく』新潮文庫、一九九三年（初出　晶文社、一九七七年）
寺出浩司『生活文化論への招待』弘文社、一九九四年
鳥居龍蔵『上代の東京と其周圍』磯部甲陽堂、一九二七年

長澤規矩編『江戸地誌叢書巻四　四神地名録・四神社閣記』有峰書店、一九七六年
中丸和伯校注『江戸史料叢書　慶長見聞集』新人物往来社、一九六九年
永峯光一「第二章六　柴又八幡神社古墳について」『葛飾区史』上巻、葛飾区、一九七〇年
日本随筆大成編集部編『日本随筆大成　第二期1　兎園小説・草廬漫筆』吉川弘文館、一九七三年
濱田耕作『通論考古学』岩波文庫、二〇一六年（初出　一九二二年）
町の文化と歴史をひもとく会編『木根川の歴史　今こそ伝えよう、わがまちの記録』町の文化と歴史をひもとく会、二〇〇七年
町の文化と歴史をひもとく会編『木根川の歴史2　時の流れを越えて想う町の歴史』町の文化と歴史をひもとく会、二〇一〇年
町の文化と歴史をひもとく会編『木根川の歴史4　わが町のアルバム（写真集）　木根川・渋江・四つ木・立石界隈』町の文化と歴史をひもとく会、二〇一五年

■写真図版提供

新宿区立新宿歴史博物館　38／国土交通省関東地方整備局荒川下流河川事務所（『歴史を語る荒川写真集大正一〇年～昭和二〇年』）43／葛飾区郷土と天文の博物館　132・137（上）・140・167（下）・173・197・203・231（上）／国土地理院　136・138・228・242・243／安井正氏　143／立石仲見世商店街　151・152-153／手塚敬之氏　154／石戸暉久氏　159・189・194／葛飾区広報課　170（下）／すみだ郷土文化資料館　174・175／澤村英仁氏　181／滝田朝子氏　185・186／国土交通省関東地方整備局ポータルサイト　189（下）／国立公文書館　231（下）／東京都公文書館　232／奥田旭氏　236（上）／山口二三子氏　238／伊藤昭久氏　239　　上記以外は著者

谷口 榮◎タニグチ・サカエ

一九六一年、東京都葛飾区生まれ、現在も葛飾区在住。

国士館大学文学部史学地理学科卒、博士（歴史学　駒澤大学）。立正大学・明治大学・國學院大學・和洋女子大学兼任講師、NHK 高校講座日本史講師歴任。現在、葛飾区産業観光部観光課主査学芸員。よみうりカルチャー講師、新潮講座講師も務めている。（立石三郎、勝鹿亭立石というペンネームでも執筆活動をしている）

日本考古学協会理事、観光考古学会理事、日本歴史学協会文化保護特別委員、境界協会顧問など。

研究テーマは、東京下町や旧葛飾郡域の環境と人間活動の変遷を通史的に研究、そのほか地形や地理と人間活動の関係性、地域的な飲食文化なども調査研究対象としている。

主な著作として、シリーズ「遺跡を学ぶ」０５７『東京下町に眠る戦国の城　葛西城』（新泉社）、シリーズ「遺跡を学ぶ」１４３『東京下町の前方後円墳　柴又八幡神社古墳』（新泉社）、『増補改訂版　江戸東京の下町と考古学―地域考古学のすすめ―』（雄山閣）、『東京下町の開発と景観』古代編・中世編（雄山閣）、編著『吾妻鏡辞典』（東京堂出版）、編著『遺跡が語る東京の歴史』（東京堂出版）など多数。

千ベロの聖地「立石」物語
もつ焼きと下町ハイボール

二〇二一年三月二〇日　第一版第一刷発行

著　者　谷口 榮

発　行　新泉社
東京都文京区湯島一－二－五　聖堂前ビル
TEL 〇三－五二九六－九六二〇
FAX 〇三－五二九六－九六二一

印刷・製本　萩原印刷株式会社

ISBN978-4-7877-2028-3　C0021

シリーズ「遺跡を学ぶ」057

東京下町に眠る戦国の城　葛西城

谷口 榮著／A5判96頁・1500円+税

東京の下町、葛飾区青戸にかつて戦国の城があった。上杉氏によって築かれ、小田原北条氏が攻略し、長尾景虎（上杉謙信）の侵攻、北条の再奪取、秀吉の小田原征伐による落城と幾多の攻防がくり広げられた。関東における戦乱の最前線となった葛西城の実態にせまる。

シリーズ「遺跡を学ぶ」143

東京下町の前方後円墳　柴又八幡神社古墳

谷口 榮著／A5判96頁・1600円+税

映画『男はつらいよ』で有名な東京都葛飾区柴又で、まるで「寅さん」のような帽子をかぶった人物埴輪がみつかった。古墳の石室を造る石などない、人など住んでいなかったと思われた東京低地に、なぜ前方後円墳が造営されたのか、なぜ寅さん埴輪が出土するのか、古墳時代の東京下町を見直す。